新 潮 文 庫

後 白 河 院

井 上　靖 著

新 潮 社 版

2286

後白河院

天皇家略系図

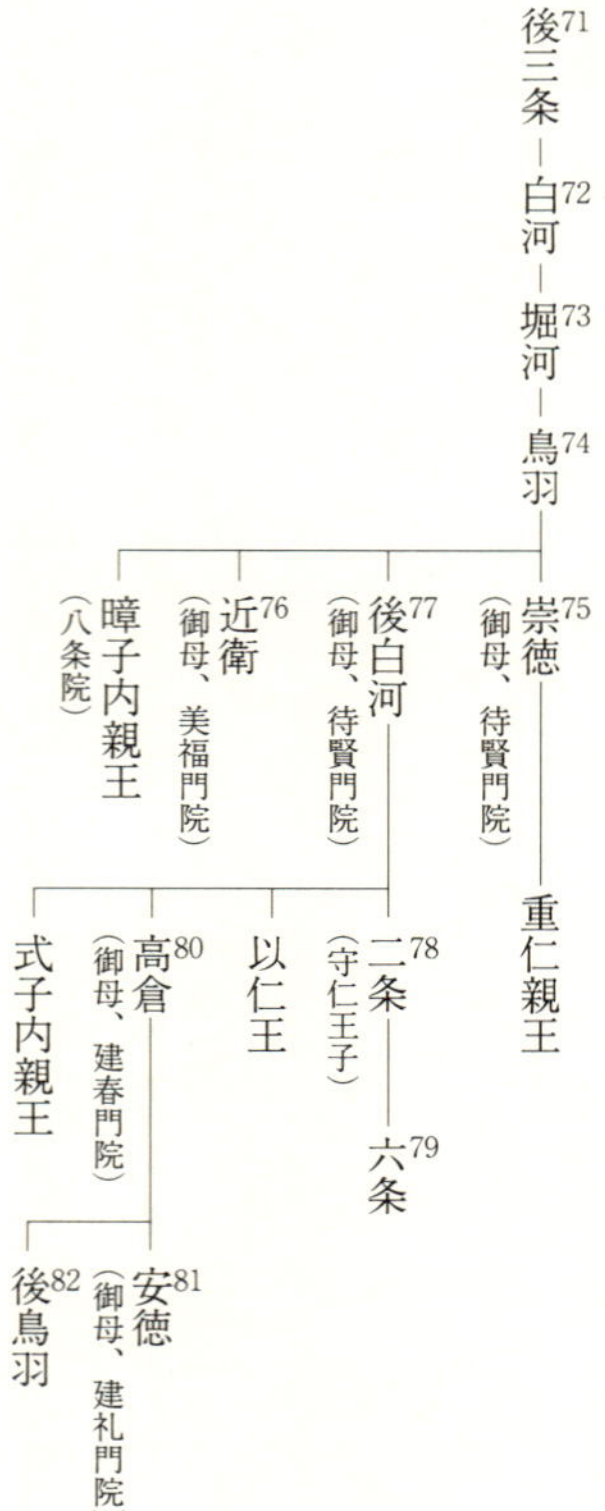

後三条71
白河72
堀河73
鳥羽74
崇徳75
（御母、待賢門院）
重仁親王
後白河77
（御母、待賢門院）
近衛76
（御母、美福門院）
暲子内親王
（八条院）
二条78
（守仁王子）
六条79
以仁王
高倉80
（御母、建春門院）
式子内親王
安徳81
（御母、建礼門院）
後鳥羽82

第一部

保元《ほうげん》から平治《へいじ》へかけての世の移り変り*についてお話するようにというお言葉を戴《いただ》きましたのは、昨年の夏の初めのことであったかと存じます。その折、近くご都合をお伺いした上でお館《やかた》へ参上するよう申し上げましたが、それから早や一歳《ひととせ》近い月日が流れてしまいました。内府（藤原兼実《かねざね》*）さまからのお話がありましてから幾許《いくばく》もなくして、二条帝*には御患《おんわずら》い重くおなり遊ばし、六月二十五日には譲位、七月二十七日には新帝の即位、翌二十八日には崩御遊ばされるといった大事が続き、そのあとは亡《な》き帝《みかど》のご法要、新帝のご朝儀と、昨年の秋はそのようなことで慌《あわただ》しく過ぎてしまい、お伺いいたす機《おり》を持つことができませんでした。蔵人所《くろうどどころ》*にてご用を勤めます私も、何かと心忙《せわ》しく日を送りましたが、内府さまの方は、——左様でございます、その間には例の延暦寺《えんりゃくじ》、興福寺の争い*もあり、六波羅《ろくはら》*の方の騒がしさも伝えられ、内府さまには、さぞご多忙にわたらせられたことと存じます。

それに加えまして、年が代りますと、御兄関白（藤原基実《もとざね》）＊さまの突然のご逝去《せいきょ》、まだ二十四歳のお若さであることを思いますと、こう申し上げている現在も心の底から悲しみが込み上げてまいります。私はご存じのように法性寺《ほっしょうじ》（藤原忠通《ただみち》）＊さま、基実さまと、二代の摂関家にお仕えしまして、限りないご恩顧を受けて参った者でございます。長寛《ちょうかん》二年に法性寺さま他界遊ばされ、それから僅《わず》か二年目の、この仁安《にんあん》元年七月にはこの度のご不幸、以来今日まで為《ため》に天日が翳《かげ》ってしまったような心許《こころもと》なさを覚えております。内府さまにもお心の合った兄君を喪《うしな》い遊ばされ、どのようにご落胆のことであろうかと拝察いたしております。まだお悲しみのゆめ薄らごうとは思いませんが、重だったご法要もすみ、次のご法要までには多少のゆとりもございますので、内府さまも或《あ》るいは今なら幾らかお時間をおさき戴けるのではないかと、こちらだけの勝手な推量をいたしまして、私の方からお目通り願い出た次第でございます。さっそくお諾《き》き届け戴きまして、有難い仕合せでございます。

お話にはいります前に、私事にわたることで恐縮でございますが、小さいこと一つお耳に入れ、お礼申し上げたいと思います。実は本日、参河国志貴庄《みかわのくにしきのしょう》を知行するようにというご沙汰《さた》を安芸守能盛《あきのかみよしもり》殿を通して頂戴《ちょうだい》いたしました。関白さまご他界から幾許もなくして、この思いがけぬ仕合せに浴しまして、大きい悲しみの中の小さい悦《よろこ》びとでも申しましょうか、いずれにせよ、これ亦《また》ひとえに御二代のご尊霊の加護にほかならぬと存じ、ただただ忝《かたじけな》く有難く存じておる次第でございます。

それから、もう一つ申し上げたいことがございます。つい先頃のことでございますが、実は内府さまがこの日頃、日録*のお筆をお執りになっておられるということを洩《も》れ承りました。その日その日の出来事をお書き留めになっていらっしゃると伺いまして、大層口幅ったい言い方でございますが、いまのお若さではなかなかできかねることをと、信範《のぶのり》、*心から感服仕《つかまつ》りました。内府さまが保元、平治の二つの動乱についてお知りになりたいというお考えをお持ちになりましたのも、そうした毎日のお書きもののお仕事と、恐らく関係なきことではなかろうと納得いたした次第でございます。その話を聞く相手として私をお選び下さいましたのも、私が今日と同じように、その頃も蔵人所に出仕して殿上《てんじょう》大小の事務を掌《つかさど》る役を受持っておりましたので、当時の動乱の中に浮き沈みした方々について、多少の知識を持合せているというお考えがあったかと存じます。併《しか》し、また、それ許《ばか》りではなく、私も亦その日その日の出来事を日録として綴《つづ》っているということがお耳にはいっており、そんなことから、そうしたものをもとにして話すなら、あるいは間違いが少ないのではないかと、お考えになられたかと存じます。このような自分勝手な推量から、私はできるだけ飾りなく、当時の出来事や人の動きの姿のありのままを、お話し申上げてみようと、そのような心積りをいたしまして、今宵《こよい》お伺いいたした次第でございます。

左様でございます。もうそうしたものを綴り始めましてから、私の場合は三十数年になろうかと存じます。その日その日の耳にしたこと、眼にしたことを、毎夜拙《つたな》い筆で書き記して今日に到《いた》っております。私は当年五十五歳でございますが、初めて蔵人になりましたのは長承《ちようしよう》三年、二十三歳の時でございます。日録の最初の筆を執りましたのは、それより三年程前でございます。内府さまはいつ頃から筆をお執りになられたのでございましょう。——二年前からでございますか。そういたしますと十六歳、丁度内大臣におなり遊ばした年からお始めになられたわけで、まことに結構なことと存じます。私の如《ごと》き者とは異り、いずれは摂関の地位にお就きになられますお方、お書き留めになることも違いますし、亦そうしたことをなさる意義も譬《たと》えようなく大きいものであろうと存じます。

私の場合は、何の考えもなく、ただ父に命じられるままに始めたことでございます。私の祖は平氏より出ておりますが、いまを時めく平氏一門からは外れておりまして、時勢とは無縁の平氏一門の謂《い》わば疎族《そぞく》といったものでございます。代々摂関家にお仕えして、家司《けいし》*として御奉公を致しております関係上、他の者よりいろいろな出来事について見聞する機会に恵まれ、そんな関係からか、祖親信《ちかのぶ》を初めとしまして、範国《のりくに》、行親《ゆきちか》、それから父の知信《とものぶ》、いずれもそれぞれに日録風のものを家に伝えております。私も拙い文章を、拙い文字で認《したた》めることを、毎日宮中から退《さが》りましてからの日課としておりますが、もともと誰かに読んで貰《もら》おうというような意味合いのものではございません。そうした気持を持ってはいけない。ただその日その日、自分が知り得たことを、ありのままに書き残しておく。御幸《ごこう》についても、朝儀についても、法要についても、すべて御着衣御装束は勿論《もちろん》のこと、供奉《ぐぶ》の雑人《ぞうにん》の数、粮米《ろうまい》の多寡《たか》に到るまで何ひとつ違《たが》えてはならぬ、これが父の私に命じたことでございました。そのように書き続ける習慣ができますと、人間というものは奇妙なことに、間違ったことを書き記すことができなくなるものでございます。寒夜いかように更《ふ》けましても、やはり記すだけのことはきちんと記しませんと、己が心を納得させることはできなくなります。そうした自分が書き留めてあるものの中から、今宵お話し申し上げなければならないと思われるものを、あれこれ心用意いたしまして日附、時刻、人名、人数などすべてここに書き写して参っております。

それから、もう一つ、これはお断りするまでもないことでございますが、ご承知願っておきたいことがございます。内府さまは既に毎日の記録をお綴りになっておられ、その点世の常のお方とは違うと存じますので、こうしたことを申し上げる必要はないかと存じますが、このような時代は、何をお話しいたしましても、兎角《とかく》差し障《さわ》りがあるものでございます。やんごとなき方々につきましても、藤原御一門につきましても、武家、宗門につきましても、自分の眼に映ったことをありのまま申し上げることになりますと、みなどこかに差し障りが出て参ります。そうしたことをご承知の上でお聞き戴きたいと存じます。保元と平治の動乱におきましては、皇族方も、院、内裏《だいり》それぞれの御近臣も、武士も、僧侶《そうりょ》も、みな幾つかに分れ、それが結びついたり、離れたりいたしました。幸いに勝った方は生き、敗れた方は死ぬか、死なないまでも不幸な境遇に落ち入りました。

左様でございます。そうした方々の名を書きつけております私の気持でございますか。何と申しましょうか、勝った方も、敗《ま》けた方も、同様に自分とは無関係な他国の人間のような気がして参ります。無慚《むざん》に首を晒《さら》された人たちの名も、反対にそれを機に時めきわたった人たちの名も、それを書きつけている限りにおきましては、自分とは何の関係なく見えて来るものでございます。ただ書き記したあと、自分が恩顧を受けた方々が恵まれた方の側にあったと知った時、初めてほっとした思いに打たれます。法性寺さま、六条（藤原基実）さまお二人の名が、保元、平治の二つの動乱において、いずれも勝者の側にありましたことは、私にとりましては果報とでも申し上げるほかない気持でございます。そのことに思いを致します時ほど、仏の加護というものを身に染《し》みて有難く感ずることはございません。

保元の乱の起りました時、内府さまはお幾つでございましたでしょう。――八歳、左様でございますか。八歳ではまだ何分、御分別のおできにならぬお年頃、世を挙げて上を下へのあの大きな騒ぎについて、何もお判《わか》りにならなかったのも無理からぬことでございましょう。

一昨長寛二年八月、崇徳院《すとくいん》が讃岐《さぬき》の配流地《はいるち》で崩御遊ばされました。御年四十六歳。上皇（後白河院）にとっては同母兄に当らせられる御方でございますが、朝廷におかれまして亡き院のために何の御儀も執り行わなかったことは、ご存じの通りでございます。従って、院崩御のことは下々の間に伝わる筈《はず》はないと思っておりましたが、三年目の今年になりまして、どこから洩れますものか、ぼつぼつ巷《ちまた》の噂《うわさ》に上っているようでございます。

この院は鳥羽院《とばいん》の御長子としてお生れになり、五歳にて御即位、在位十八年にして、異母弟近衛《このえ》帝に御位をお譲りになり、長く上皇としてお過しになったわけでございますが、ずっと御父君鳥羽法皇の下において実権というものをお持ちになることができず、漸《ようや》くにして鳥羽法皇が亡くなられて、これからという時になって、保元の乱の渦《か》中《ちゅう》にはいるのを余儀なくされ、讃岐にお流されになるというような仕儀になり、考えれば不幸な御一生だったと申し上げるほか申し上げようがございません。

細面《ほそおもて》でいらせられ、多少眉《まゆ》のあたりは気難しく、総体に暗い感じをお持ちでございましたが、時たまお笑いになると、御曾祖父《そうそふ》白河院に生き写しでいらせられると噂されておりました。私は白河院の御影《みえい》は勿論画像でしか拝したことはございませんが、画像で拝する限りにおいては、なるほどよく似ていらっしゃるという思いを持たされました。このようなところから崇徳院の御出生について兎角のことを口走る者があるのでございます。このことについて、何もご存じないのであれば、やはりそれについてひと言お触れしておくべきかと存じます。勿論、噂のこと、誰にも真偽のほどは判ろう筈はございませんが、そのようなところに、崇徳院の一生のご不幸のみなもとがあり、引いては、それが保元の乱を引き起す遠因ともなっていると考えて考えられぬことはないような、そのような性質のものかと存じます。

噂と申しますのは、実は、このようなことでございます。白河院は祇《ぎ》園女御《おんにょうご》と申し上げた寵妃《ちょうひ》をお持ちになっておられ、その祇園女御のお手許で閑院公実《かんいんきみざね》さまの姫をお育てになり、それを御孫鳥羽院の中宮とされました。これを待賢門院《たいけんもんいん》*と申し上げます。その時鳥羽院は十五歳、中宮は十七歳、お二人の中にお生れになりましたのが崇徳院でございます。ところが鳥羽院はこの王子を御祖父白河院の御胤《たね》であるとして、終生父子の愛情をお持ちにならず、おじ子、おじ子とお呼びになっていらしったと伝えられております。*

果してこのような事実があったかどうかは判りかねますが、鳥羽院が崇徳院に対して、終生愛情をお持ちにならなかったということは、崇徳院がその一生を通してご経験になられたことに思いを馳《は》せてみますと、なるほどと頷《うなず》かれるものがあるかと存じます。

鳥羽院は待賢門院のほかに、中納言《ちゆうなごん》藤原長実《ながざね》さまの女《むすめ》である美福門院《びふくもんいん》*、それに内府さまにとっては叔母君に当られます高陽院《かやのいん》、都合お三方の妃《きさき》をお持ちになっておられました。その中では最もお若い美福門院を特にご寵愛遊ばされた模様で、その間にお子さまがおできになると、御位に即《つ》けたくおなりになり、崇徳帝にご譲位を迫られました。永治元年のことで、崇徳帝はために御年二十三歳で上皇におなりになり、新帝は御年三歳、これが近衛天皇でございます。同じこの永治元年に鳥羽院は出家遊ばされ法皇になられました。時に御年三十九歳、法皇がまだお若いことが、崇徳院にとってはご不幸でございました。こうして次第に法皇と上皇の間に、詰まり鳥羽院と崇徳院の間に不穏な気がわだかまり始めましたのも已《や》むを得ないことであったかと存じます。これから近衛帝が御在位十三年で崩御遊ばされ、後白河帝ご即位となって保元の乱を引き起すことになりますが、ともあれ近衛帝ご在世の間は表面上はさしたる風波もなく穏やかな日々が続いたのでございます。私は崇徳院が近衛帝にご譲位になります前年、五位蔵人*に補せられ、比較的穏やかなこの十年の間宮中の雑務を掌り、有職《ゆうそく》故実《こじつ》等について多少の知識を蓄えることができたかと存じます。いま改めてその頃を振り返ってみますと、何と申しましても、まだまだ波風の立たぬ静かな時代であったという思いを深くいたします。法皇、上皇の御対立があったとしても、それに油を注ぐような事件はこれと言って見当らなかったのでございます。とは申せ、事件らしい事件が起きなかったということは、毎夜日録を綴っております私ひとりの感じたことでございまして、実は眼に見えない不気味なものが、どこか時代の片隅の方に巣喰いつつあったと言うべきであるかも知れません。

さて、これから摂関家御一門の事にお触れしなければなりません。御一族の一人としては、いろいろとお気に障ることもあろうかと存じますが、そのことは予《あらかじ》めお許し願っておきます。

内府さまの御父法性寺さまが、摂関職にお就きになりましたのは保安《ほうあん》二年、私が十歳の時のことでございます。それから長寛二年に薨《こう》ぜられますまで四十四年間、ずっと要職にあられたわけでございますが、その間穏やかなお人柄と、下々の者の気持までお判りになる類《たぐ》い稀《ま》れな優しいご気性とは、ともすれば荒ぶろうとする世の中を、これといった事件もなくお治めになったのでございます。法性寺さまが私のような者までお労《いたわ》り下さいましたことは大変なもので、そのようなことをお話し申し上げますと、幾夜参上してもお話は尽きないかと存じます。そうした私事に関することは、ここでは一切切り棄《す》ててお話し申し上げないことにいたしましょう。ご存じのように詩《し》歌《か》の道にも長じておられましたし、*ご筆蹟《ひっせき》に到っては、当代その比を見ないお見事さでございました。

併し、法性寺さまは人前では顔色にこそお出しになりませんでしたが、お辛《つら》いこと、ご不満なことは数々おありであったろうと思います。お近くに侍《はべ》る近臣の者は勿論のこと、お姿をも拝することのできないような下々の者までも、法性寺さまのお心の内側に立って、さぞお辛いであろう、よくお耐えになっていられると、お噂申し上げることは屢々《しばしば》でございました。

改めてお話し申し上げるまでもないことでございますが、法性寺さまは御肉親との関係においては、終生ご不幸であったと申し上げるほかありません。御父君の前関白《さきのかんぱく》忠実《ただざね》＊さま、御弟君の頼長《よりなが》＊さまお二方とのご不和は、御一門にとりましては、かえすがえすも口惜しい限りでございました。ご不和と申しましても、もともと法性寺さまに責任のおありのことではなく、御父君と弟君の方から仕向けたことでございまして、このお二方は、ついに生涯法性寺さまのお気持のほどはお判りにならなかったかと存じます。頼長さまは御父君忠実さまと結託なさいまして、事々に法性寺さまに楯《たて》をおつきになりましたが、御兄弟とは言え、法性寺さまと頼長さまは年齢に二十歳以上の隔りがおありの上、ご気性もすっかり異り、そしてまた異母兄弟であらせられるということにも、お互いにお親しみになれぬものがあったかと存じます。また御父君とのご関係では、もともと御父君が姫君高陽院入内《じゅだい》のことで白河法皇のご機嫌を損じ、そのために法性寺さまに関白職をお譲りにならなければならぬような仕儀に相成ったのでございますが、御父君としましては、自分から関白職を奪った者として、血を分けた御子でありながら法性寺さまにはいい感情はお持ちになれないようになったのでございましょう。

頼長さまは秀才の誉れ一世に高かったお方でございます。読書は和漢にわたり、経《けい》史《し》、天文、易筮《えきぜい》まで万巻の書を読まれたと伺っております。ただご性格が傲岸《ごうがん》であり、己を恃《たの》むこと強く、他人のいかなる過《あやま》ちをもお許しになれないお方であったことは残念でございます。

大治四年に白河院崩ぜられ、鳥羽上皇がお羽をおのばしになれる御代《みよ》となりますと、上皇は高陽院を妃に迎えられ、そんな関係から忠実さまは再び曾《かつ》ての関白時代の勢力をお持ちになることができるようになりました。これを機としての頼長さまの栄達にはめざましいものがございました。保延《ほうえん》二年には、十七歳で内大臣、久安五年には三十歳で左大臣、類いないご昇進ぶりでございます。このような時期、法性寺さまは摂関の位にありながら、父君と弟君との勢力に圧《お》されて、何一つご発言もできない立場に立っておられたと存じます。頼長さまは摂関職を自分のものになさろうといろいろ露骨な画策をなさり、眼に余るものがございましたが、取り分け、私どもが口惜しく存じましたのは、御父君が氏《うじ》の長者としてのご家督のすべてを法性寺さまからお取り上げになって、頼長さまにお与えになったことでございます。そして荘園までもお取り上げになり、法皇に差し上げるというようなことまでなさいました。

こうしたお仕打ちに対して、法性寺さまは終始堪忍《かんにん》の態度をおとりになっておられ、顔色一つ変えないで耐え忍んでいらっしゃいました。法性寺さまのご立派なところでもあり、しんのお強いところでもございました。私など何も申し上げる資格はございいませぬが、法性寺さまの、あの幾らか暗く沈んでいるとさえ見える重厚で気品高いご筆蹟は、このような一時期の御不遇と無関係ではないように思われてなりません。

それは兎も角といたしまして、このようなことに対しては、いかなる時でも世間の見方、判断というものは大体において正しいようでございます。誰言うとなく頼長さまには、「悪左府《あくさふ》」という異名が奉《たてまつ》られ、反対に法性寺さまにはお味方として心を寄せる者が次第に多くなって参りました。近衛天皇も、御母美福門院も法性寺さまの方にお親しみになられ、頼長さまの方を兎角お疎《うと》んじになるように見受けられました。

鳥羽法皇は高陽院のご関係で忠実、頼長御父子のわが儘《まま》な態度をお許しになっておられましたが、法皇の妃の中で最も大きい勢力をお持ちになっているのは美福門院であらせられまして、その点、法性寺さまが美福門院のお気持をお摑《つか》みになっていらしったことは、後になって考えてみますと、何事にも替え難く、それが大きく幸いしたようでございます。

申し忘れましたが、近衛帝が十二歳におなりになりまして皇后のお話が出ました時、法性寺さまも、頼長さまも、それぞれに御養女を入内させるお気持を持たれ、烈《はげ》しくお競いになられました。頼長さまの姫さまの方が一足早く迎えられて皇后にお立ちになり、やや遅れて法性寺さまの姫さまが中宮におなりになりまして、この結果からみますと、頼長さまの方が勝ちをお占めになったような恰好《かっこう》でございましたが、肝心の近衛帝の御心が法性寺さまの方へお傾きになったということは、やはりお二方の姫さまが御養女であって、帝がそれぞれのご実家にそれほど気をお使いになる必要がなかったということのためでございましょうか。

朝廷におきましては、表面にこそ出ませんが、鳥羽法皇と崇徳上皇との間に不気味な空気が澱《よど》んでおり、摂関家におきましては法性寺さまと、忠実、頼長御父子との、この方ははっきりとそれと判る対立がございました。

こうした状態にありました時、久寿《きゅうじゅ》二年に近衛帝が十七歳で、眼病をお患《わずら》いになって崩御されました。若い天子にはお子さまがなく、ここに御継嗣《けいし》の問題が当然なこととして起って参ります。

近衛帝の崩御は七月二十三日のことでございました。年来御不予《ふよ》にわたらせられましたので、帝《みかど》の御患いが重くなられた六月の末から、御継嗣の問題は、私共の間でもひそかにあれこれと噂されておりました。世上の取沙汰《とりざた》は永年恵まれぬ道をお歩みになって来られた崇徳院の御子重仁《しげひと》親王の呼び声が高く、順序から申しましても、この親王が即位遊ばすことが一番自然でありまして、長く不幸であらせられた崇徳上皇のお身の上にも漸《ようや》く花の咲く春が近付いているような感じを受けたものでございます。

このほか、御継嗣として一応考えられますのは、崇徳院以外の鳥羽法皇の皇子たちでございます。法皇は崇徳院、近衛帝のほかに四人の皇子と一人の内親王をお持ちでございます。四人の皇子たちのうちお三人は剃髪《ていはつ》して寺におはいりになっておられ、四人の中では一番お若い雅仁《まさひと》親王だけが親王のままで、法皇の御殿にお住まいになっておられました。この雅仁親王も当然御継嗣の候補として上がって然《しか》るべきでございましたが、不思議にこの方の御名は人々の口に上って参りませんでした。崇徳院に対しては同母弟、近衛帝に対しては異母兄に当られる御方でございます。近衛帝の御兄君に当らせられますので、弟君のあと兄君が御位に即《つ》くということが、何となく順序を踏み外したことに思われ、そうしたことからも雅仁親王のお名前は表面には出て来なかったようでございます。それより寧《むし》ろ親王の御子であらせられる守仁《もりひと》王子が既に十三歳になっておられましたので、あるいは法皇のお考えひとつでは、この王子に白羽の矢が立たないものでもないという説を為《な》す者もございました。またいずくからともなく、法皇は内親王をお慈《いつく》しみになっており、皇位継承に伴って起る複雑な問題をお避けになる意味合いもあって、内親王を女帝にお立てになるお考えらしいというようなことも、まことしやかに伝えられて参りました。

どなたが御位に即こうと雲居の上のことは、私共下々の者にはさして関係ないことでございますが、それでなくてさえ二つに分れて対立しております宮廷、摂関家の方々にはその運命を左右する程の大きい関心事であったことは申すまでもございません。近衛帝の病状重《おも》らせられて、御憂《うれ》いの最も深いのは鳥羽法皇と美福門院の御二方でございます。そしてその御憂いの中で御位の後継者をお考えになられた時、法皇は崇徳院と御不和であるにしても、一国の政《まつりごと》ということに当然ご配慮になります以上、いろいろとお迷いになることもあったろうと存じますが、美福門院におかれては、そのようなお迷いはなかったと存じます。はっきりと崇徳上皇が勢力をお持ちになるような御継嗣だけは避けなければならぬ。できるなら、自分の力となる方に御位に即いて戴《いただ》きたい、こういうお考えをお持ちであったろうと存じます。こうした美福門院の御胸中をいろいろと詮索《せんさく》申し上げ、そこから雅仁親王の御子守仁王子が世人の口の端《は》に上ったのでございます。女院《にょういん》が平生からこの王子を何かとお可愛《かわい》がりになっていらしったことは、一般によく知られていることでございました。口さがない輩《やから》は、女院が既にこのことあるを慮《おもんぱか》って、王子をお手なずけになっておられたのだと、そのようなことまで申しましたが、お先きの読める聡明《そうめい》な女院のこと故《ゆえ》、そのようなお気持が全くなかったとは申し上げられないと思います。

摂関家におきましては、女院とお親しくしておられました法性寺さまは、やはり女院と同じお立場に立っておられたと存じます。ご自分の利害ということより、日頃何かと庇《かば》って戴いている女院のご利害を考えられて、女院がお望みになる御継嗣をというお気持をお持ちであったと思います。

忠実さま、頼長さまはひとえに法皇の恩寵《おんちょう》に縋《すが》っておられまして、崇徳院のご系統を支持しなければならぬ理由もなければ、それを排さなければならぬ訳合いもなく、万事法皇の御心次第であるという立場に立っておられたと思いますが、相なるべくは美福門院や法性寺さまの反対の立場にお立ちになりたい気持の動くことは当然なことでございまして、そうした点から考えれば、なるべくなら崇徳院のご一統をというお考えが心の奥底にはおありであったかと思います。併《しか》し、法皇と上皇の日頃の御不和を考えますと、そうした気持をかりそめにもお示しになるわけには行かず、その点、甚だ複雑微妙なご心境であったと思います。

近衛帝崩ぜられて、空位一日、翌七月二十五日雅仁親王が践祚《せんそ》されました。後白河天皇でございます。御年二十九歳。世間の噂《うわさ》にはその名もお出しになられなかった親王が、突如として帝位にお即きになることになったのでございます。そして翌々月の九月二十三日には、御子守仁王子が皇太子に立たれ、次いで十月二十六日に即位の大典が行われました。このように事が決まりました時、最も大きい打撃をお受けになったのは、申し上げるまでもなく崇徳上皇と、御子重仁親王でございます。重仁親王は御位にお即きにならなかった許《ばか》りか、皇太子にもお立ちになれず、この御父子の将来の希望は全くここに封じられてしまったわけでございます。崇徳上皇のお歎《なげ》き、お悲しみには第三者の推察できぬものがあったろうと存じます。このようにして御継嗣のことは、一応美福門院がお望みになったような形において取り決められたのでございます。

後白河帝御践祚が決まってから、皇太子のご決定を見るまでの間に、私共のところにも、御継嗣の問題についての、いろいろな消息が伝わって参りました。最も意外でありましたことは、法皇が御継嗣の問題をご相談になったのは法性寺さまお一人であり、法性寺さまのお推しになった雅仁親王が即座に御位に即くことに決定したのであるという噂でございました。法皇がお親しくしておられた忠実、頼長御父子にひと言もお謀《はか》りにならなかったということは、私共には殆《ほとん》ど信じられぬことでございました。どうしてこのようなことになったのか、どうして忠実、頼長御父子は法皇からこのような待遇をお受けにならねばならぬようなことになったのか、蔵人所《くろうどどころ》におきましても、何日も何日もこの噂で持ちきる有様でございました。そしてこの噂を裏書きしますように、忠実、頼長御父子の院に出仕なさることが目立って少くなり、この間までお二人がお持ちになっておられた政治的権勢が、お二人からすっかり落ちてしまったことが、私共の眼にもよく判《わか》りました。噂に依《よ》りますと、忠実さまは、いまはただ一つの手がかりである自分にとっては姫君に当らせられる高陽院にお縋りになり、頼長さまが皇太子の傅《かしずき》になることをお望みになったそうでありますが、これも法皇のお言葉一つでしりぞけられてしまったということでございました。

この継嗣問題で大きい打撃をお受けになった上皇の御殿に、同様にこの問題を機に宮廷における権勢を失った忠実、頼長御父子が屢々《しばしば》お越しになるという噂が立ちましたのは、後白河帝即位の大典が行われましてから程ない頃のことでございました。このことも亦《また》真偽のほどは分明いたしませぬが、この噂には何かこれを聞く者の心を底から暗い冷たいもので押し包んで来るような不気味なものがございました。この年の十二月、高陽院が御年五十一歳でお亡《な》くなりになりました。忠実、頼長お二方にとりましては、最後の頼みの綱としておられた法皇の妃の薨《こう》ぜられましたことは、運命がこのお二方を、もうどこへも逃げ場のない場所に追い込んで行くような、そうした思いをその頃の誰にも懐《いだ》かせたものでございます。

そしてまた同じこの頃、法皇が忠実、頼長お二方をおしりぞけになるに到《いた》った事情が、誰言うとなくまことしやかに伝えられて参りました。近衛帝の御患いが重くおなりになった頃、何者かが帝を呪詛《じゆそ》しているという風説が宮中に流れ、そのため宮中で も棄《す》てておけず、帝の崩御後、巫《みこ》をして帝の霊のお声を聞かせたりして、呪詛者を調べて行くと、どうも忠実、頼長お二人が怪しい、そんなことから法皇は急にお二方をお遠ざけ遊ばすようになったのだと言うのでございます。この噂はかなり広くあちこちで囁《ささや》かれ、これを信じる者も少くなく、なかなかやかましいことでございました。恐らくこれは忠実、頼長御父子のお耳にもはいったことであろうと思います。こうした噂を耳にされて、お二方はいかなる感懐をお持ちなされたことでありましょう。ここでお話が少し横に逸《そ》れますが、頼長さまも生前日録＊の筆をお執りになっていらしたということを伺っております。内府さまは御一門のこと故、今後或《ある》いはそうしたものをお目にする機会があるかも知れませんし、またそれをお心掛けになれば、できないことでもないように思われます。この当時のことを頼長さまがどのようにお考えになっていらっしゃったか、頼長さまのご心境は必ずやそれに綴《つづ》られてあると思います。

こうした崇徳上皇や忠実、頼長御父子等とは反対に、後白河帝のご登極《とうきよく》に依って、急に浮かび上がって陽の目を見た一団の人々がございます。そもそも後白河帝ご自身がそのように申し上げてもいいお方であろうかと存じます。鳥羽院の第四皇子、御母は待賢門院、大治二年丁未《ひのとひつじ》九月十一日のご誕生でございます。ご継嗣問題がやかましく取り沙汰されている折も、初めから終りまで、ついにその御名が人々の口の端に上りませんでしたが、少くともそれまではどこかにこうした大事からは埒外《らちがい》にあるお人柄であると、周囲の者に思わせるものをお持ちのようでございました。二十九歳のこの年まで出家遊ばすでもなく、と言って、弟君に当らせられる近衛帝が先きに御位にお即き遊ばされた以上、そうした方面に望みのあろう筈《はず》もなく、謂《い》ってみれば部屋住みのような恰好で、鳥羽法皇の御殿にお住まいになっていらしたのでございます。新帝としてお立ち遊ばすまで、後白河帝について、私共が存じ上げておりましたことは、遊び好きの派手なご性格であること、今様《いまよう》の歌*や、田楽《でんがく》*、猿楽《さるがく》*などの名手をお集めになることがお好きで、帝御自身、その方ではなかなかのお腕前をお持ちであること、そのようなことだけでございました。白拍子《しらびょうし》を宮中にお招きになって物議をかもしたこともおありと承っております。

私が後白河帝を初めて遠くから拝しましたのは十一月二十三日の大嘗会《だいじょうえ》*の日でございます。戌《いぬ》ノ刻（午後八時）から始まる式典にお臨みになるために、夕刻御殿をお出ましになる時でございます。白いふくよかなお顔立ちで、お体も大柄でありますし、立居振舞も万事おっとりして、他の競争者を排して、即位遊ばすことになったお人柄のようには到底お見受けできませんでした。ただ高貴の血は争われないもので、ご装束をお着けになるとご立派であるというのが、帝のお姿を拝した人みなが口にしたことでございます。畏《おそ》れ多い言い方ではございますが、はっきり申し上げると、平生は到底天子の器にはお見受けできないが、然るべき場所にお据《す》え申し上げさえすれば、さすがに自《おのずか》ら御血筋が物を言い、何をお考えになっているか判らないおっとりしたご風貌《ふうぼう》も却《かえ》って威厳となって、なかなかどうして立派なものである。歯に衣《きぬ》を着せないで申しますと、このようなことになろうかと存じます。これが新帝に対する下々の者が持った印象でございました。

それからまたこのような帝のご出現を心からお悦《よろこ》びになった殿上人もございます。これまで法皇、上皇、帝と朝廷は三つに分れ、それを近臣と公卿《くぎょう》が取り巻き、互いに他を陥《おとしい》れるための策謀を廻《めぐ》らすことで夜も日もないような有様でありましたので、そうしたことには無関心であらせられそうな新帝に期するところ大きかったのでございます。また反対に、今様をお謡《うた》いになっているうちに、いつの間にか天皇の御座席にお運ばれになってしまった新帝に対して、少からず危惧《きぐ》の念を懐かれる公卿も、二、三にとどまりませんでした。お名前は憚《はばか》りますが、後白河帝のご登場で、従来の混乱は一層烈しくなり、天下は乱れに乱れると予言なさった方もございます。どのようにも見られるものを、後白河帝はお持ちになっておられたのでございます。

後白河帝のご登場に依って浮かび上がった一団があると申し上げましたが、そうした人々の顔触れが、霧の中から木立が現われて来るように、日を追うて次第にはっきりして参りました。後白河帝の乳母朝子《めのと》の夫、藤原信西《しんぜい》。＊これまた守仁親王の乳母の子である検非違使《けびいし》惟方《これかた》、＊東宮の伯父に当られる大納言《だいなごん》経宗《つねむね》、＊それから中納言家成《いえなり》。＊こうした顔触れを見ますと、新帝の登場に依って思いがけず時めき始めた人たちと言うより、後白河帝時代出現のために、美福門院の陣営にはいって画策した人たちとみる方が当っているかと思われます。表面は法性寺さまが推され、法皇がそれをお容《い》れになって、皇嗣《こうし》は後白河帝と決まったのでございますが、それはそれでその通りであるにしても、あくまで表向きだけのことであって、そのように事を運ぶためにはどれだけの人たちが動いたことでございましょう。いずれも自分の番の来るのをおとなしく待っているような方たちではございません。不遇時代は屏息《へいそく》していたとしましても、春の近付く気配と共に、その春を呼ぶためにひそんでいた穴から出ずにはいられない切れ者たち許りと見受けます。やはり名を秘めておきますが、現在時めいておられる御一門筋のお一人は、その頃このような言葉をお洩《も》らしになりました。内裏《だいり》は市井《しせい》無頼の徒に依って占められ、新帝はこれまで以上に今様に精進遊ばされる。やがて多くの妃が迎えられ、成り上がりの近臣たちはいずれも外戚《がいせき》となって、ひたすら荘園を増やして行く。まことにこのように歎かれたのでございます。こうなって参りますと、近衛帝呪詛の一件も、また違った見方をしなければならなくなって参ります。崇徳院御一統と忠実、頼長御父子を陥れるために何者かが策したことではなかったか、こうした疑念も頭を擡《もた》げて来るというものでございます。大嘗会の日に、私は初めて新帝を遠くから拝したと申し上げましたが、その大嘗会のお支度に、前日外弁《げべん》*が承明門*のお庭先きに標柱を立てておりますと、その前を黒い影が通って行ったというようなことが噂され、このことを奇として言い触らす人がございました。そのことが奇ではなく、何事かが起らないでは済まないという不吉な予感が誰の心の中にも顔を覗《のぞ》かせておりまして、それがそのような言葉になって現われたのでございます。

明くれば久寿三年、この年は四月に年号が改まって保元となりました。三月五日、法皇の第五内親王が太子宮におはいりになりました。美福門院の第三王女であらせられます。続いて、六月十二日に美福門院御出家のことがありました。女院出家についても兎《と》角《かく》のことを申す者がありまして、女院はもうすべてを自分の思うままにお運びになってしまったので、世間の矢面《やおもて》に立つことをお避けになり、僧籍におはいりになったのだと言うのでございます。併し、これはうがち過ぎた意地悪い見方でありまして、女院におかれましては、お病みになられていた鳥羽法皇の御平癒《へいゆ》を願ってのことであったに違いないと思われます。私共もこの年の春より法皇がお患《わずら》いになっておられるということは洩れ聞いておりましたが、五月の末には御危篤《きとく》の状態になられ、そうしたことから、女院は御出家を急に思い立たれたものと思います。

女院出家のあと、間もなく法皇のご病状の並み並みでないことが私共の間にも伝わって参りました。法皇に若《も》し万一のことがあったら、それを契機として何事かが起るかも知れない、そういった思いはすべての者にございました。特に京中がざわめいているわけでもなく、不穏な事件があったわけでもございませぬが、鳥の羽音一つにでも、それと怯《おび》えるような、そんなものが、どういうものか人々の心の中にはあったのでございます。

女院が出家遊ばす少し前の六月三日、夜にはいってから、崇徳上皇は鳥羽殿にお見舞のために御幸《ごこう》になりました。真偽の程は判りませぬが、この時、間に立った院の近臣が、今更ご対面になっても仕方ないことであると申し上げて、お取り次ぎしなかったということでございます。こういうことが伝えられますと、どちらにお味方すると いうわけではございませぬが、私共にも上皇のお憤《いきどお》りが青い火となって燃えているのが手にとるように感じられる思いでございました。

法皇のご病状についての特別の発表はございませんでしたが、法性寺さまが四日にお見舞に参内なさいました折は、食欲《しょくよく》がなく、お腹、お手足がお腫《は》れになっていらしったということでございます。また当代無双の行者と謂われております三滝聖人《みたきしょうにん》*が再三の朝廷のお召しによって、ついにその隠棲所《いんせいじょ》の山から降りて、前々日からこの日にかけて三日間、お枕許《まくらもと》で祈禱《きとう》申上げていたとの、法性寺さまのお話でございました。

新帝には一日、四日、と鳥羽殿へ御幸、十二日、十五日は早朝からお詰めになり、何かと次第に物々しい気分が鳥羽殿に立ちこめて来る感じでございました。二十一日には院ご危篤の報が巷《ちまた》に流れ、そのお噂で京中騒動している有様でございました。この日、信範、お使いとなって鳥羽殿に馳《は》せ参りましたが、丁度三滝上人《しょうにん》のお念仏でご容態を持ち直された時でございました。二十七日は殊更《ことさら》大事の御模様で、新帝を初め、公卿朝臣《あそん》のお出入りが繁《しげ》かったようでございます。

このようにして、七月二日申《さる》ノ刻（午後四時）、鳥羽法皇は鳥羽安楽寿院御所*に於《お》いて崩ぜられました。春秋五十四。信範も直ちに御所に参り雑事に当りましたので、当夜のことは多少仔細《しさい》に承知いたしております。私が参りました時は、漸《よう》く暮れようとしている広い庭園の見える奥の間の御遺骸《いがい》の前で、三滝聖人を初め大勢の僧侶《そうりょ》が居並んで読経《どきょう》いたしており、その背後に五宮《ごのみや》、六宮、七宮とお坐《すわ》りになっていらっしゃいました。早く日は昏《く》れ、酉《とり》ノ刻（午後六時）に御体を御衣《おんぞ》にて覆《おお》い、御座辺の畳を取って、屏風《びょうぶ》を立て廻し、燭《しょく》と焼香とをお挙げいたしました。この間のことはすべて、信西入道がお取りしきりになりました。後白河帝即位と同時に、ふいに内裏に姿を現して来た信西入道と言葉を交しましたのは、この夜が最初でございました。新帝に関する一切のことを切って廻しているという噂は勿論《もちろん》耳にしておりましたが、会ってみると、なるほどこの人ならと頷《うなず》かれるものがございました。長身痩軀《そうく》、眼光の鋭い神経質そうな初老の人物で、僧衣に身は包んでおりましたが、身辺に漂っているものは武人の持っている烈《はげ》しさでございました。御遺骸の安置されている部屋と次の部屋を行ったり来たりして、多少嗄《しわが》れた声で諸事に心を配って指図しておりました。私には信西入道が決して坐らないことが奇異に感じられておりました。一切を取りしきっているると申しましても、坐るくらいの暇は幾らでもあるわけで、それに次から次へ駈《か》けつけて来る方々がそこここに居並んで、部屋内にはしめやかなものが漂っておりましたが、信西入道はそうした人たちの中にはいることなく、一つの事を命じて、命じたことが取り行われておりますす間は、縁側に出て、庭の方へ顔を向けて立っておりました。信西入道こと少納言藤原通憲《みちのり》と会ったのはこの夜が最初でございましたが、もちろん宏才《こうさい》博覧並びない学者と謂われている信西入道の名はこれまでに何回か耳にしておりました。ただ信西という名が法名であることでも判りますように、私が三十歳の頃にはすでに入道は出家しておりましたし、それ以前から鳥羽上皇に近侍しており、そんなことから蔵人所にてご用を勤めている私も、ついにこの時まで信西入道と面《おもて》を合せる機会はなかったのでございます。

夜が更《ふ》けてから御入棺のことがあり、ご葬儀の役人としては入道信西、左少将成親《なりちか》、右衛門権佐惟方《うえもんのごんのすけこれかた》等八人のお名前が発表になりました。遺詔《いしょう》によって、御棺《ひつぎ》には御倉《みくら》にある御衣ならびに野草のお召もの、敷物、真言《しんごん》*だけを納め、お手水《ちょうず》、お膳《ぜん》等は供えず、人形などもお入れしませんでした。御沐浴《もくよく》を取りやめたのも遺詔に依ってのことでございます。

また、これも遺詔に依って、直ちにその夜半、御所の敷地内にある御塔に移し奉《たてまつ》りました。網代《あじろ》御車の傍には御車添いとして二人の者が並び、炬火《たいまつ》を持った殿上人が先行し、北面の者*十余人がこれまた炬火を持って御車辺を固めました。五宮、六宮、七宮が御車のあとに随《したが》い、続いて太政大臣《だじょうだいじん》、左大将、右衛門督《うえもんのかみ》、修理大夫《しゅりのだいぶ》、新宰相等がそれぞれ直衣藁沓《のうしわらぐつ》で扈従《こしょう》いたしました。御堂東庭から御塔西林へと進み、御車は御塔の門の前で停まりました。そして最初に御車が御塔の中にはいり、続いて導師、そしてお供仕《つかまつ》った人たちがはいりました。こうしたご葬儀に先立って、藤原惟方が御塔へ赴いてすべての用意を受持ったと聞いております。

ご葬儀の参列者は御塔から出ると、御館《やかた》へははいらず、御塔の前での法要に列しました。法要は夜を徹して営まれ、翌三日午《うま》ノ刻（正午）に及びました。遺詔に依ってのご葬儀ではありましたが、ひどく簡素なものでございました。法皇は生前お住まいになった御殿の一隅にある塔の下にお眠りになったわけでありまして、ご在世中ご自分でお考えになりましたことはみなお貫きになりましたが、ご自分の葬儀に関してもご自分のお考えをお生かしになったと申しあげていいかと存じます。

法皇はお亡《な》くなりになる一カ月程前に、近臣をお集めになり、自分の亡きあとは美福門院を母と立て、摂政関白以下大臣、公卿、みな心を併《あわ》せて補佐せよと遺言遊ばされ、北面の武士十数人に誓詞を書かせて、それを女院《にょういん》にお渡しになられたということでございます。そのことは、この夜ご葬儀の前に発表されました。なお、これは真偽の程は判《わか》りませぬが、この夜、鳥羽の田中殿*に在《おわ》された崇徳上皇が、法皇の崩御を聞いてお駈けつけになりましたが、藤原惟方が法皇のご遺言だと申し上げて、お会わせにならなかったということでございます。上皇は御簾《みす》越しに父君と対面遊ばしてお帰りになられたと洩れ承っております。*

法皇のご葬儀はお亡くなりになりました日に慌《あわただ》しく取り行われたのでありますが、法皇ご自身何かそのように急がなければならぬもののあるのをお感じになっていらしって、ご葬儀をその例がないほど簡素にご指定になったのではないかと、そのように申す者もございました。

それから中に一日をおいて五日になりますと、内裏には早朝から信西入道、藤原惟方らの近臣がぞくぞくと詰めかけて参り、ただならぬものを感じさせられました。

その日の午後、蔵人大輔雅頼《くろうどのたいふまさより》*が勅命に依《よ》って検非違使等を召し、京中の武士の移動を停止させる命令を降《くだ》しました。それと前後して、左衛門尉《さえもんのじょう》平基盛《たいらのもともり》*、右衛門尉《うえもんのじょう》平惟繁《これしげ》*、源義康《よしやす》*等が参内し、内裏の要処、要処を固めました。

院宣に依って先月一日から下野守《しもつけのかみ》源義朝《よしとも》ならびに検非違使源義康が禁中を守護しておりましたが、この日の措置で内裏には武士たちが溢《あふ》れ、何人《なんぴと》にも事態が急であることが判りました。また一方、出雲守《いずものかみ》源光保《みつやす》、和泉守《いずみのかみ》平盛兼《もりかね》、その他源氏平氏の武士たちがそれぞれ兵を率いて鳥羽殿の方をも固めているということでございました。法皇のご葬儀が終った直後、それを待ちかねるようにして、武士たちは鳥羽殿へはいったのでございます。

翌六日、平基盛が東山法性寺《ほっしょうじ》辺で、源親治《ちかはる》という武士を捕えました。この武士は大和国《やまとのくに》で勢力を持っており、ひそかに京にはいって、崇徳上皇の御所を訪ねたというかどで捕えられたということでありました。漸《ようや》く内裏も京の町も騒然として来た感じでございました。

八日は亡き法皇の初七日でございます。後白河帝は衣冠を着し、巳《み》ノ刻（午前十時）に鳥羽殿に御幸遊ばされました。安楽寿院の仏壇の下には等身の阿弥陀《あみだ》仏一体が安置され、その前に香花《こうげ》が供えられ、灯明があかあかと灯《とも》されてありました。東北西三面の庇《ひさし》の間には高麗縁《こうらいべ》りの畳が敷かれ、経机二十が備えられ、金泥法華経《きんでいほけきょう》一部、素紙《そし》同経二十部、色紙四巻経等がその上に置かれてありました。午ノ刻、内大臣、左大将、按察使《あぜち》*、右衛門督、左兵衛督《さひょうえのかみ》、東宮権大夫《とうぐうのごんのだいぶ》、修理大夫、右兵衛督、源宰相、いずれも直衣を着して入場、定刻になって、打鐘僧が姿を見せると同時に、五宮、六宮、七宮が簾中《れんちゅう》に坐《ざ》をお占めになりました。弁覚上人が導師となって、この日のご法要は営まれたのでございます。いつ合戦が始まるか判らないという差し迫っている時のご法要でありますだけに、列席している人たちにも何か落着かぬものが感じられました。院の本堂の荘厳《しょうごん》も、何十という灯火の輝きも、すべて空虚な異様な感じでございました。

この日は諸国の荘園の兵が都に入って来るのを禁ずる布令が出されたり、上皇方に気脈を通じている僧勝尊等が秘法を修していた東三条殿*が、源義朝の兵に依って押えられたというような噂《うわさ》が流れたりいたしました。

翌九日には、上皇が鳥羽田中御所をお出になり、白川前斎院御所*にお移りになったという報《しら》せがはいり、内裏は俄《にわ》かに色めき立ちました。そして一夜明けると、上皇が白川殿で軍兵《ぐんぴょう》を整えられているという報せがはいり、それを追いかけて白川殿に集まる面々についての報せがありました。散位《さんに》*平家弘《いえひろ》、大炊助《おおいのすけ》*平康弘《やすひろ》、右衛門尉平盛弘《もりひろ》、兵衛尉平時弘《ときひろ》、判官代平時盛《ときもり》、蔵人平長盛《ながもり》、源為国《ためくに》等。また前《さきの》大夫尉源為義《ためよし》、前左衛門尉頼賢《よりかた》、八郎源為朝《ためとも》等いずれも故院に依って勘責され籠居《ろうきょ》していた武士たち許《ばか》りでございます。

この日夜になって清盛朝臣が軍勢を率いて内裏に到着いたしました。清盛朝臣は紺の水干小袴《すいかんこばかま》に紫革の冑《かぶと》、頼盛《よりもり》、教盛《のりもり》、重盛《しげもり》等も一人残らず武装しております。前から御所の警備に当っている源義朝は赤地錦《にしき》の水干小袴、頼政*以下はそれぞれ思い思いの装束で、多くが紺の水干小袴を用い、中には生絹《すずし》を用いている者もありました。みな冑に折烏帽子《おりえぼし》、兵卒は胡簶《やなぐい》*を負い甲《かぶと》を持っております。

何でも俄かに東三条に行幸があり、軍勢はそのための警備だということでございました。その夜は私共もみな宮中に詰めておりました。いかなることがいかにして起って来るか、少しも見当が付きませんでした。合戦というものがどういうものか想像がつかぬのは勿論のこと、武士たちが武装して、このように多く屯《たむろ》するのを見るのも初めてのことでございました。

十一日、早暁《そうぎょう》、清盛朝臣、義朝、義康等の率いる軍兵六百余騎はいっせいに御所を出て、白川に向けて発向いたしました。あとで聞きましたところでは清盛の三百余騎は二条方面から、義朝の二百余騎は大炊御門《おおいみかど》方面から、義康の百余騎は近衛《このえ》方面から、それぞれ白川御所を目指したということでございます。

軍勢が進発して行ったあと、後白河帝は輿《こし》に召され、東三条殿へお移り遊ばされました。内侍《ないし》が剣璽《けんじ》を捧持《ほうじ》して現われると、左衛門督殿がこれをお受け取りになって輿にお入りになりました。他には公卿《くぎょう》の姿は見えませんでした。私共がお供して、一行は西門より出て、西洞院《にしのとういん》を北に上がり、前蔵人源頼盛が数百人の兵を以《もっ》てものものしく固めている御所にはいりました。御所に入ると間もなく使者が来て、合戦はかれこれ雌雄を決めるに到《いた》ったとの奏上がございました。既に合戦は開かれているわけでございましたが、矢叫《やたけ》びの音も聞えず、平生と変らぬ静かな暁方で、使者が帰って行く頃から夜は白み始めてまいりました。それから次の使者が来るまで後白河帝は御願《ごがん》をお立てになるということで奥殿にお入りになり、われわれ居合せる者も、それでは自分たちもということで、みなその場で世の騒がしさが一刻も早く鎮《しず》まるようにと神に祈りました。辰《たつ》ノ刻（午前八時）に、東方に煙のくろぐろと上がるのが見え、味方の軍が火をかけたのだということで、ひとしきり一座はざわめき立ちました。

やがて清盛朝臣が勝ちに乗じて逃げる敵を追い討っているということ、上皇、左府頼長さまが逐電《ちくてん》なさったということ、白川御所が焼失したということ、そうした報が次々にはいって参りました。帝はこうしたことをお聞きになってから、急に思い立たれたように高松殿*へ還御《かんぎょ》遊ばされることになりました。東三条の御所に居《お》りましたのは一刻《いっとき》ほどの極く短い時間でございました。

午ノ刻、清盛朝臣以下諸将みな内裏《だいり》へ帰参いたし、清盛朝臣、義朝は直ちに朝食を摂《と》り、そのあと戦果の奏上がありました。それに依ると、上皇、左府、お二方とも行方が判らず、左府さまについては、流れ矢に中《あた》ったと言う者があるが、真偽の程は不明、為義以下の将兵の行方も亦《また》判らないということでありました。この頃から武士たちの出入りは烈しくなり、合戦の日らしい騒がしさが御殿の内外を占め、時折矢叫び、鬨《とき》の声らしいものが遠くに聞えました。

合戦騒ぎは一日で終りましたが、十二日にも上皇、左府お二人の消息は判らず、ために各方面に追捕《ついぶ》の手が差し向けられ、知足院の寺中房舎、一条北辺、公卿の邸宅等がくまなく捜査されたということでございました。検非違使《けびいし》季実《すえざね》、資良の二人がこの仕事に当っている模様でございました。

十四日になると、崇徳上皇が出家遊ばされて仁和寺《にんなじ》にお入りになっていること、頼長さまが馬に乗って脱出の途中流れ矢に中って薨《こう》じられたことなどが判明いたしました。頼長さまの骸《むくろ》は大和国般若野《はんにゃの》五三昧《ごさんまい》*に葬《ほうむ》られたということでございました。有り余る学識と経綸《けいりん》をお持ちになって、三十七年の短い生涯をお閉じになったわけでございます。

十六日には、敗軍の将である源為義、平忠正《ただまさ》が姿を現わしました。為義はいったん関東へ逃れようとして、途中から引き返し、己が子の義朝を頼ってその邸《やしき》へ姿を現わしたということでございました。平忠正も甥《おい》の清盛を頼ってのこのこ這《は》い出て来た感じで、これを合図に行方をくらましていた上皇方の武士や公卿が次々に現われてまいりました。暫《しばら》くの間はそうした人たちの噂で持ちきりました。

二十三日に、崇徳院が今日仁和寺寛遍法印房から配流地《はいるち》讃岐《さぬき》へ向けて御出立になるということを聞きました。まことにお痛わしい極みでございました。そして二十八日には平忠正が斬罪《ざんざい》に処せられ、それから暫らくの間、厭《いや》な日が続きました。毎日のように今日は誰、明日は誰というように処刑が行われました。源為義が船岡辺で斬《き》られましたのは三十日のことでございます。嵯峨《さが》天皇の時から三百五十年間、死刑は一切行われたことはないということでありましたが、こんどそれを破って、誰も彼もが処刑されたのでございます。*公卿は流刑が多かったのに反し、武士はその大部分が斬られました。ただひとり例外として、為義の子為朝は、臂《ひじ》の筋を切られて伊豆《いず》の大島へ流されたということでございました。

重仁親王は東洞院に幽閉されておりましたが、この頃になって剃髪《ていはつ》されたことが伝えられ、忠実さまは法性寺さまの歎願《たんがん》に依って、死刑を免れて、知足院への幽閉が決まったということでございました。左府頼長さまの屍《かばね》を五三昧に葬った奈良の般若寺に勅使が向かい、墓をあばいて検死が行われたのも、月の末のことでございました。

こうした一切の合戦後の処理には信西入道ひとりが当っていると噂されておりました。そうした噂のためか、毎日のように内裏に姿を見せる入道信西の姿は、私たちには他の公卿や武士たちとは変ったものに見えました。信西入道が参内したと言うと、女たちは勿論《もちろん》のこと、蔵人所の私共まで、何となく息を詰める思いで、内裏の空気は一瞬にして異ったものになったのでございます。私は時折、廻廊などで入道と擦れ違うことがありましたが、鳥羽法皇がお亡くなりになった夜、鳥羽殿で初めて見掛けた時と同じように、入道の身辺には何かひとに命令を与え、その答申でも待っているような、妙に落着きのないものがございました。眼を上げると、鋭い眼光がきらりとこちらを射ますが、大抵の場合は顔を上げないで、俯向《うつむ》いたまま通り過ぎました。そうしたところに、いつもある不気味さがございました。

合戦騒ぎが終って、私共に一番はっきりと感じられましたことは、長い間陰気にくすぶっていた皇室や公卿の対立が、合戦というもので、あっという間に片付いてしまったということでございます。極く僅《わず》かな時間で、そうした陰気などろどろした厭《いや》なものが跡形もなく消え去ってしまい、片方が勝利を占め、片方が殺されたり、流されたり、幽閉されたりして、信じられないようなすばやさで一切のけりがついてしまったということでございました。ある夜、どこからともなく武士たちの群れがやって来て、さしたる評定を開くでもなく、がやがや言い合ってひと晩眠り、翌朝早く出掛けて行ったと思うと、あっという間に何もかもが片付いてしまった、このような感じでございました。長い間、公卿や朝臣《あそん》たちがどうすることもできないでもて扱いかねていたものを、武士たちに頼んでみたら、ほんの一刻か二刻の時間で、簡単に処理してくれた、こうしたあっけない思いと、それから来る胸のすくような小気味よさはやはり誰の心にもあったようでございます。

合戦後、内裏には目立って武士たちの出入が烈《はげ》しくなりました。公卿や朝臣も自然に武士たちに一目置くようになり、武士たちは武士たちで、多少わがもの顔に振舞うのが目立ってまいりました。何と言っても、こんどの事件では公卿も朝臣もみな武士たちのお蔭《かげ》を蒙《こうむ》っております。後白河帝にいたしましても、武士たちのお蔭で自分の即位を快しとしない上皇御一門を再び立てない無力なものにすることができたのでありますし、法性寺さまにいたしましても、自分の敵と言っていい頼長さまを再び自分の眼の前に現れることのないようにすることができたのでございます。出家遊ばしてはおられますが、美福門院も亦これでご安心というものでありますし、女院《にょういん》を取り巻いていた朝臣や公卿たちも、これで何の心配もなく、それぞれ自分の地位に安んじることができるというものでございます。清盛朝臣や義朝等の武人が今までとは違って、肩を張って内裏へ出入するようになったのは極めて当然なことでございます。また誰の眼にも、清盛朝臣や義朝たちが合戦前までの武人とは同一には見えなくなりました。実際に力を具《そな》えている人間だけの持つ重みが、その風貌《ふうぼう》にも、立居振舞いにも現れていたのでございます。

私共には、正直に言って、公卿や朝臣たちが、急に勢力を持って来た武人たちの前ではひどく無力な取柄のないものに見えておりました。実際にまたこんどの事件の恩賞で、清盛朝臣は播磨守《はりまのかみ》に、義朝は左馬頭《さまのかみ》*に、義康は蔵人に任じられ、宮廷内でも大きい発言力を持つ立場が与えられておりました。

併《しか》し、こうした武人たちも、ひとり信西入道には歯が立たない感じでございました。学者としてはつとに名の聞えた人物ではあり、身を僧衣で包み、後白河帝にぴたりと寄り添って、いかなる自分の命令をも、勅命という形で出しているところは、よかれ悪《あ》しかれ、見事なものでございました。急に頭角を現して来た武将たちが、初めて信西入道を見直し、信西入道に対して敵《かな》わないと思ったのは、上皇方の朝臣や武将たちを処分した時ではなかったかと思います。

義朝は自分を頼って来た父為義のために助命を願い出たということでしたが、それは許されず、ために義朝は自分の父親を、自分の手で斬らなければなりませんでした。清盛朝臣も亦勅命を奉じて、自分の叔父に当る忠正と、その五人の子供を自分の手にかけております。信西入道が采配《さいはい》を振った戦後の処分は頗《すこぶ》る峻厳《しゅんげん》を極めたもので、人情とか温情とかいったものは、そのひとかけらをもそこに見ることはできません。

武将たちが自分の縁故の者の助命を願い出ると、信西入道が口から出す言葉はいつも同じだったと聞いております。上皇は讃岐にお移し申上げる。ただひと言こう言っただけだったと聞いております。崇徳上皇でさえ、その罪を問うて讃岐へお流しするのである。どうして臣下である武士たちの罪を減じることができようか。こういうことであろうと思います。

義朝が父為義の助命をしりぞけられた時、自分は父親の首を斬るために働いたようなものである。おぬしは何をするために働いたかと、信西入道に食ってかかったということを聞いておりますが、今になって考えてみますと、信西入道はその時自分は自分の首を斬るために働いたと答えなければならなかったと思います。実際に信西入道は自分で自分の首を斬るために、後白河帝の新政に於《お》いて自分の望むことをやってのけようとしていたのだと言うことができるようでございます。このようなことをお話しておりますと、どういうものか、後白河帝のお笑いになる声が聞えてくるように思われます。帝のお笑いになるお声は、内府さまもご存じのように、つきぬけたような明るい特別のものでございます。そのお声が聞えて参ります。その頃はいまとは違って、もう少し疳高《かんだか》く、もっと邪気のないろうろうとした明るいものでございました。なぜか私には、そのお声が聞えてくるように思われてなりません。

保元の乱がありました年の秋から翌年、翌々年へかけましては、いよいよこれから新しい時代が来るといった一種の張りのようなものが誰の胸にも感じられたのでございます。蔵人所に出仕いたしております信範にも、それがよく判《わか》りました。

入道信西が最初の仕事として発表いたしましたのは、記録所*の再興、それに続きましては内裏の修理でございました。何分これまで長い間政《まつりごと》が行われて来ましたのは鳥羽離宮に於てでありまして、離宮には公卿朝臣の出入も繁《しげ》く、その経営には隅々まで意が配られ、庭の手入れなども行き届いたものでございましたが、内裏となると、これはまた見る影もない程荒れるに任せてあり、屋根の壊れ、築地《ついじ》の潰《つい》えなど、算《かぞ》えて行ったらきりがない有様、亡《な》き崇徳院が御位にありました時、堪《た》まりかねて一部に内裏修築の議が持ち上がりましたが、進んでこれを支持する者もなく、次の近衛帝の時その問題が再燃いたしましたが、これがいつとはなく沙汰《さた》やみになりましたのは、そのための経費を出す途《みち》が考えられなかったためと承っております。

　後白河帝が新帝として実際に政をお摂《と》りになるようになりました時は、法皇はお亡くなりになっておりますし、上皇は讃岐にお移りになっておられます。政が内裏で行われますのは、実に何十年振りかのことで、誰も彼もが漸《ようや》くにして国の政が正常な形を取り戻したという感を深くしたものでございます。この時に当って、いち早く内裏改修のことを取り上げましたのは、入道信西の時代を見る眼の確かさを物語るものであろうと存じます。誰もが、もうこれで朝廷が離宮と内裏の二つに分れることはなくなり、従ってまた、そこに根差していた皇族公卿の対立、朝臣武家の派閥争い、陰謀、そういったすべての厭な暗い問題の起る心配は失《な》くなってしまった。たとえどのように自分たちの暮しを切り詰めても、内裏造営のためには力を協《あわ》せなければならぬ、このような思いを持ったのでございます。また実際に、信西入道その人もそのように考えていたことであろうと思います。信西入道に対して、今日いろいろな見方が行われておりますし、何事につけ傍若無人の振舞が多く、徒《いたず》らに敵を作った譏《そし》りは免れ得ないといたしましても、やはりあの時代をあのように取りしきり、上下の心を一つに纏《まと》めて、いよいよこれから新しい時代が来るといったところに盛り上げて行った手腕は、何と申しましても卓抜なものであったと申すほかはございません。先きほど武家の棟《とう》梁《りよう》たちが初めて信西入道に対して太刀打ちできないものを感じたのは、己が手で肉親の者を斬らなければならぬ命を受けた時であろうと申しましたが、法性寺さまが同様に思わず固唾《かたず》を呑《の》むような思いをされましたのは、それまで頼長さまのものであった氏《うじ》の長者としての摂関家の家督が、宣下《せんげ》の形で法性寺さまの許《もと》に返されるという発表があった時であろうと存じます。しかもこれは、保元の合戦の成行きが決まるか決まらないかの七月十一日の午後のことでございます。摂関家の家督の相続であろうと、そうそう摂関家の者たちの自由にはさせぬといった信西入道の考え方の最初の発表は、摂関家許《ばか》りでなく、公卿全部の者の顔から血の気を失わせたものでございます。このようなことはございましたが、これはこれといたしまして、動乱後の時勢を取りしきる腕前はまことに見事なものであったと言うほかありません。

保元の乱のありましたその年の十一月には早くも京中の兵仗《ひょうじょう》を禁止する触れが出ておりますが、武士階級に対する押えは胸のすくようなあざやかさでございました。また翌二年二月六日には、公家《くげ》が禁裏に於て尊勝陀羅尼《そんしょうだらに》*を供養《くよう》いたしましたが、これなども従来例のなかったことで、明らかに入道信西の公家の気持を一新させるための方策であったろうと思います。五月十四日には内裏に於て七宝御塔供養のことがあり、御懺法《ごせんぼう》*が行われ、特に叡念《えいねん》あってのこととして伝えられましたが、これもやはり信西入道の考えから出たことでございます。三年正月二十二日には後一条帝の長元《ちょうげん》七年以来百二十三年目に内宴が復活し、関白、太政《だじょう》大臣以下の百官が勅題を賜って詩を作りました。それから同じ年の六月二十九日に鳥羽帝の保安以来三十余年振りで相撲節会《すまいのせちえ》*の再興を見ましたが、特に叡念あってという言い方をいたしますなら、まだしもこの方が当っていると申すべきでございましょうか。

乱後三年許りの間は、ただ今申し上げましたように、何と申しましても明るいものが時代に立ちこめており、京の街を歩く物売りの声ひとつにも、それが感じられたものでございます。武家に専横な振舞が多くなったと申しましても、まだまだ当時は一部のことで、世は信西入道一人の方寸で動いていたのでございます。乱のありました年の十月一日に崇徳院の中宮皇嘉門院《こうかもんいん》御出家のことがあり、聞く者の涙をそそりました。内府さまには異母姉に当られる方でございますし、日頃何かと内府さまが親しくお見舞申し上げているということを人伝《ひとづ》てに承っておりますので、この院については信範から何も申し上げることはないと存じます。――左様でございますか、姉君に当らせられると申しましても、二十八歳もお違いになっていらっしゃいますか。してみますと、既に四十代の半ばをお越しになられますご年齢、歳月の経《た》ちますことの早いのに驚く許りでございます。保元元年に御出家遊ばされた時は三十歳の半ば、ご不幸がまだ生々しいさなかでございました。

崇徳院の中宮にお上りになったのは大治五年の二月、漸く十歳におなりになった許りのいとけない頃で、それから長い間崇徳院とそのご不遇をお分ちになられましたわけで、そのような中にあって、近衛帝登極《とうきょく》に当って準母を以《もつ》て皇太后のお位につかれましたことが、せめてものお慰みであったかと拝察していた次第でございます。ところが、保元の乱をまん中にして、ご不幸が続いて押し寄せてまいりました。近衛帝が若くして崩ぜられたこと、続いて崇徳院の讃岐への御配流、思いもかけぬことが相次いで起り、ご憂悶《ゆうもん》の日が重なって、ついに落飾を決意遊ばされたのでございます。

それに致しましても、今日健在でいらせられることは何よりと申し上げねばなりません。ただ一昨年讃岐院が配所で崩ぜられたことをお知りになった時のお悲しみは、どのようなものであったでございましょう。左様でございますか。その報をお受けになった時、涙ひとつお見せにならなかったというのでございますか、左様でございましょうとも。それだけにまた悲歎《ひたん》のお心は深かったに違いございませぬ。

後白河帝と信西入道の関係についてお話しせよとのことでございますか。これはまた大変難しいお尋ねでございまして、お二人の心がどのように触れ合い、どのようにもつれ合い、どのように離れて行ったかというようなことになりますと、ご当人同士でない第三者には、なかなか解《わか》りかねる問題でございます。先きに申し上げましたように信西入道は後白河帝が即位遊ばすと同時に、初めて内裏へ姿を現して来た方でございます。後白河帝を御位に即《つ》けるために蔭《かげ》で画策した第一の人物であることは申すまでもありませんし、後白河帝をめぐる反対勢力を保元の乱に依《よ》って一掃し、しかも乱後の混乱を鮮やかに収拾した点に於て、その功績は他に比するものがございません。大納言《だいなごん》経宗《つねむね》、中納言家成、検非違使《けびいし》惟方《これかた》等、多くの公卿《くぎょう》朝臣が美福門院をお囲みして、それぞれこの事件に一役も二役も買っていたに違いないのでございますが、その中心に坐《すわ》って采配を振っていた人物が信西入道であったという見方には、誰も異存のないことであろうと存じます。後白河帝といたしましては、何と言いましても、信西入道に負うところ大きく、乱後その発言が自《おのずか》ら大きくなったことも亦已《またや》むを得ないことでございます。

それからもう一つ見落すことのできぬのは、信西入道が後白河帝の御乳母紀伊二位《めのとき　のにい》の夫であるということでございます。後白河帝と御乳母との関係には主従関係の上に、肉親の愛に勝るとも劣らぬものが重なっておりまして、その結びつきには、実のご両親、ご兄弟以上のものがあったろうと存じます。従って御乳母の夫である入道信西の内裏における立場も、単なる権力者のそれとは違うものがあった筈《はず》でございます。

そのような関係にあらせられた後白河帝が、何かにつけてわがもの顔に振舞う信西入道に対して、多少距離を置いてお向いになるようになられたのは、保元の乱後一年程してからではないかと思います。このような申し上げ方は後白河帝の御心の中を推測するようなことになり畏《おそ》れ多い極みでございますし、またそのようなお気持は聊《いささ》かもお持ちでなかったと見ている方も決して少くないと存じますので、これはあくまで信範ひとりの考えであることを、予《あらかじ》めご承知おき戴《いただ》きたいと存じます。

信範がそのように感じました最初の時は、新造の内裏へお移りになられてから間もなくのことでございます。内裏の改修成ったのは二年十月で、一年余の日時を費しまして、諸司八省*は言うまでもなく、諸殿諸門尽《ことごと》く旧態に復し、十月五日に鎮護国家、天下泰平を祈禱《きとう》する臨時仁王会《にんのうえ》*が大極殿《だいごくでん》に於て営まれました。続いて八日、帝《みかど》には高松殿をお出ましになり、新造の内裏《だいり》へお移り遊ばされました。この日は公卿百官尽くお供申し上げ、鹵簿《ろぼ》の壮観さは筆に尽すことのできないものでございました。御輿《みこし》は高松殿西中門から四足門へと脱けて、西洞院を北行、二条より西行、大宮大路より北行、雅楽の奏せられる中を陽明門より入御《にゅうぎょ》遊ばされました。更に上東門を経て、左兵衛陣*にていったん御輿は停まりましたが、再び南行、建礼門前にお着きになりました。そして御輿は承明門内に留め、帝は公卿朝臣の居並ぶ中を宜陽殿へとお進みになりました。

皇居の中で行われました盛儀の荘厳《そうごん》さもさることながら、京の街を過ぎる鹵簿の壮観さはこの日のために近国から集って参りました夥《おびただ》しい数の見物人の眼を奪ったものでございました。南都北嶺《ほくれい》の僧たちの騒擾《そうじょう》が唯一《ゆいいつ》の観《み》ものでしかなかった都では、これを眼にしたすべての者に確かに新しい時代の到来といった思いを懐《いだ》かせたことと思います。長い間生きることの苦しさに喘《あえ》いでいた町人、百姓も、何かわけは判らないが、朝廷の力に依って、これまでなかった結構な日がやって来るかも知れない、やって来るに違いないといった思いを持ったことであろうと思います。また実力を持って頭を擡《もた》げ出し、結局のところは何事もその力を借りる以外仕方ないと考えられていた武家というものが、依然として公卿朝臣の下にあるのだということも、この日の鹵簿に依って一般に示されたのでございます。

この日、信西入道は法性寺さま、右府基実さまとご一緒に新造の内裏へ先行なさいましたが、このお三方の一行も行装美々しいものでございました。法性寺さま、右府さま、信西入道と行列は続きましたが、信西入道は右府さまと同じ装束で、浮文袴《うきもんばかま》、被具老懸《おいかけ》、平胡簶《ひらやなぐい》だけが違っております。車は檳榔車《びんろうぐるま》*、車副《くるまぞい》二人、前駈二人、馬は和泉栗毛《いずみくりげ》、馬副六人、今にして思いますと、この日が入道の運勢の最頂点にあった時ではなかったかという気がいたします。自分がもくろんだすべてのことが自分の眼の前で自分の思うように運ばれているのでありますから、その得意思うべしでございます。

このご盛儀から五日程して、帝は新造の内裏の内部をひとわたりお廻り遊ばされました。信西入道がご案内役に立ち、法性寺さま、右府さまがあとにお続きになりました。少し離れて内裏にお仕えしている者十人程がお供いたしましたが、私もその中に加えて戴いておりました。数多い御殿、御門、廻廊を次々に廻るのでございますから、なかなか時間のかかることでございました。これがあの荒廃していた曾《かつ》ての内裏であろうかと思う程、すべては見違える程立派になっており、庭に敷きつめた白い砂が秋の陽に輝いているさまは、どこからともなく聞えている松籟《しょうらい》の音と共に、いかにも大内《おおうち》といった感じのこの世ならぬ美しさ、静けさでございました。

清盛朝臣が造進した貞観殿《じょうがんでん》、仁寿殿《じじゅうでん》、淑景舎《しげいしゃ》を経て、陰明門へと参りました時は、私たちお供の一団もお傍近く侍《はべ》っておりました。信西入道は御門の柱に手をかけたり、天井を見上げたりして、そこに用いられている木材がどこの国の産で、樹齢何年ぐらいのものであるかというようなことを説明申上げておりました。信西入道はそのような時、決して周囲には視線を投げず、ひたすらいま自分がそれについて語っている当の柱だとか、天井だとか、そういった物だけに眼を当てております。そういうところは、いま自分は仕事としてこれをやっているのだというようにも感じられ、また一方ではみんな自分の喋《しゃべ》ることを傾聴しているのだといった自信の強さとも受け取れるものでございました。そうした時のこと、ふと信範が気付きましたのは、信西入道より少し離れて斜め横にお立ちになっていらっしゃる帝が天井にも柱にも眼をお当てにならず、説明者信西の横顔をじいっと見入っていらっしゃることでございます。入道信西の声を耳にしておられるのか、おられないのか、兎《と》に角眼《かく》だけを信西の横顔にお当てになっていらっしゃいます。先きほど帝がある距離をおいて信西にお向いになるようになったというような言い方をいたしましたが、それはこの時の帝の御様子から信範が受けた感じでございます。その時の帝の眼がお持ちになっている冷たさは、やはり異様としか申し上げようのないものでございました。帝は若《も》しかしたら、信西入道をお憎しみになっておられるのではないか、お憎しみにならないまでも煩《わずら》わしくお考えになっていらっしゃるのではないか、そのような気持を持たずにはいられないようなものでございました。と申しますのも、ご存じのように平生は屈託のないお顔許りをお見せになっており、その白いふくよかなお顔の筋肉が少しでも動いたと思うと、これもよくご存じの、あの曇りというものの全くない明るいお声を、周囲の者は耳にするわけでございますが、そのような帝とは全く違ったその日のお顔でございました。

今にして思いますのに、信西入道はついに後白河帝のこのようなお顔を存じ上げないまま世を去ったのではないでしょうか。信西入道は人を見る眼が鋭く、めったに相手の人物を見間違えることはなかったと言われておりますが、後白河帝だけは、ついにいかなるお方かよく存じ上げないままに他界してしまった、しきりにこういう気がいたしてなりません。これはこの時より少し後のことになりますが、入道信西が後白河帝のお人となりについて申し上げたことを、ある公卿から又聞きいたしたことがございます。お傍に謀叛《むほん》の心を持つ者が居てもいっこうにお気付きにならぬ、そういう点は暗愚と申し上げる以外仕方がない天子である、そのように信西入道が申したということでございました。果して信西入道がこのような烈《はげ》しい言葉を口から出したかどうか、また、その言葉を口に出しても、実際に心の中でそのように考えていたかどうかとなりますと、これをそのまま鵜呑《うの》みにすることはできなくなります。また仮りに事実であったといたしましても、恐らくこうしたことが話されたのは、帝が寵臣《ちょうしん》をお用いになり始め、そうしたことを信西入道が腹に据えかねていた頃のことであろうと思いますし、そこには多分に信西入道の腹立ち紛れの放言と見做《みな》されていいものがあるかと存じます。併《しか》し、いずれにいたしましても、結局は信西入道は後白河帝のお人となりについて、ついに存じ上げなかったと申すほかないと思います。若し存じ上げていたら、その言葉が冷静であるにせよ、感情に奔《はし》ったものであるにせよ、全く違った質の言葉になったことでございましょう。

それはさて措《お》きまして、新造の内裏で政《まつりごと》が執られるようになりましてから朝臣の中に次第に反信西の空気が醸《かも》し出されて参りました。それは蔵人所《くろうどどころ》に居《お》ります私たちにも、それとなく感じられました。誰一人面と向って信西入道に楯《たて》つく者はございませんでしたが、信西入道が席に居ない時の公卿朝臣たちが話す言葉の端《は》し端《ば》しに、それが感じられました。

若し、はっきりと信西入道に楯つく態度をとった者があるとすると、それは後白河帝おひとりであったと申し上げていいかと思います。後白河帝は誰の指図も受けず、ご自分で藤原信頼《のぶより》をご寵愛になり、ご登用になり始めたのでございます。周囲に対して少しも顧慮するところなく、いかなることも信頼にご相談になり、信頼の言を取り上げ、そして信頼ひとりに眼をおかけになって、それを引き立てて行くところは、時にははっと息を呑むようなこともございまして、傍若無人というほかはありませんでした。

藤原信頼が初めて朝廷に出仕いたしましたのは、内裏の新造がなる半歳《とし》程前で、正《しょう》四位下に叙せられたことに対する御礼の参内でございました。まだ二十六歳の初々《ういうい》しさの抜けぬ公達《きんだち》でございましたが、この若い公達が一年も経《た》たぬうちに正三位《さんみ》に上り、一年半程の間に参議、中納言と進んで、右衛門督《うえもんのかみ》を兼ねようとは誰が思ったことでございましょう。

信頼は道長の兄の道隆《みちたか》の子孫でありまして、藤原氏一門ではありましたが、その家は代々道長の系統に圧《お》されて、華やかに中央で名を挙げた者は見当りません。そうした家柄の信頼が後白河帝に御目通りして、そのお引き立てに与《あずか》り、その寵をほしいままにしたということは、運命としか言いようのないものであろうと存じます。信頼は蔭《かげ》で〝文にもあらず、武にもあらず、能もなく、芸もなく〟と言われましたが、まさにそのような人物であったかと思います。その信頼にとっては、後白河帝にお会いしたことは運命でございますが、そうした運命をお与えになった後白河帝から申しますと、藤原信頼なる人物は一体いかなることになるのでございましょうか。

信西入道は若い時人から剣難の相があると言われて、宮仕えを断って出家したと言われておりますが、剣難の相があると申しますなら、そのようなものを信頼の方こそ持っていたのではないかと思います。眼鼻立ちの整った品のある顔でございますが、その顔立ちとは違って、気性は烈しく、いやに気位が高く、感情に駆られると何を言い出したり、仕出かしたりするか判《わか》らぬところがございました。時々眼を据えて相手を見るところなど、人によっては異常なものを感じていたようでございます。

内府さまの御父君も信頼に関してご迷惑をお受けになったことがございます。保元三年の賀茂祭の時のことでございますが、当夜、法性寺さまが町桟敷《まちさじき》でご見物中、桟敷の前を信頼の輿をまん中にした一団が通過しようとして、通す、通さぬということで雑人《ぞうにん》が乱闘する事件がございました。信頼はその騒ぎの中を車に乗ったまま押し通ってしまいました。関白法性寺さまに対してもこのような振舞に出たのでございますから、この一事から推しても、信頼という人物の性格がお判りになろうというものでございます。その翌日、事件に対する後白河帝のお裁きがございまして、執柄家司《しっぺいけいし》少納言《しょうなごん》信範解官《げかん》、――これはいまお話し申し上げている信範のことでございます。そして和泉守邦綱《くにつな》除籍、法性寺さまは閉門。――ざっとこのようなことになり、全く片手落ちのお裁きでございましたが、誰もさして腹は立てませんでした。それより後白河帝の信頼ご寵愛のことが、どことなく正常でない感じで、それが不気味に思われたのでございます。

信西は後白河帝の後見役、信頼は寵臣と、そこにははっきりした区別があり、初めは誰も二人の人物を同等には見ておりませんでしたが、併し、次第に信頼は信西入道に対抗する勢力であると、信頼自身も考え、第三者もそのように見做《みな》すようになって参りました。恐ろしいものでございます。これと申しますのも、信西の専横な振舞に対する反感が、寵臣信頼と結びついた感じでありまして、信西入道としましては、何も判らぬ若僧にしてやられた形で甚だ不本意なことであったろうと存じます。

この場合、こうした対立に自分の方から進んで働きかけて行ったのは勿論《もちろん》信頼でございますが、信頼といたしましても、ただわけもなくこのようなことになったのではないと思います。当時、二人の対立の原因として、巷間《こうかん》に噂《うわさ》されている事件がございました。真偽の程は判りませんが、噂の内容からいたしますと、充分そうしたことがあったのではないかと思われるような真実味の感じられる話でございます。

信頼が右近衛《うこんえの》大将＊を望んで、後白河帝にお願いしたところ、後白河帝は信西にお謀《はか》りになった。ところが信西は全く問題として取り上げず、これを一蹴《いっしゅう》してしまった。こうしたことが信頼の反信西熱をかき立てる結果になったというのでございます。信頼が恩寵に甘えて、そのようなことを帝に申し上げることはありそうなことでございますが、帝がそれを人もあろうに信西にお謀りになったということには解《げ》せぬものが感じられます。信西入道にそのようなことをお謀りになれば、入道に反対されることは火を睹《み》るより明らかなことであり、そのような結果になれば、信西入道と信頼との間がいかなることになるかは、先刻ご承知の筈であったろうと思うのでございます。後白河帝の御措置としては不可解と申し上げるより仕方ないことでございますが、若し帝がそのような結果をお招きになることをお望みであったとしたら、若し帝がお心のうちのどこかにそのようなお考えをお持ちであったとしたら、問題は自《おのず》からまた別のことになろうかと存じます。

何を考えていらっしゃるか判らぬ屈託のなさそうなお顔をしていらっしゃる後白河帝をまん中にして、公卿朝臣が信西入道と信頼の二つの派にはっきりと分れましたのは、保元三年八月十一日に後白河帝が御位を東宮にお譲りになってからでございます。

後白河帝は御在位三年余にして上皇におなりになったわけで、東宮は時に御年十六、二条天皇でございます。

二条天皇即位に依《よ》って、ご承知の如《ごと》く法性寺さまはお退きになって、内府さまの御兄君基実《もとざね》さまが関白におなり遊ばしました。十六歳のお若い関白でございました。関白とおなりになりまして間もなく、基実さまは、信頼の妹御を室としてお迎えになられました。この間の詳しい事情は存じませんが、後白河帝のお声があってのことだということを承っております。基実さまのご気性から申しまして、自分から宮廷一の寵臣で、兎角の噂ある信頼の妹御をお望みになろうとは考えられぬことでございます。このように申しましても、基実さまの室について、詰まり内府さまの御兄嫁さまについて、いささかも兎や角申しているのでないことはお判り戴《いただ》けると存じます。

後白河帝のご譲位のことは一般には寝耳に水でございました。誰もそのようなことになろうとは夢にも考えておりませんでした。もう内裏と離宮に分れることはなく、天皇が親しく政をお執りになる時代が続くのだと許り思《ばか》っておりましたところ、そうしたことは一朝にして消し飛んで、後白河帝も亦《また》院政をはじめられることになったのでございます。新造の内裏がご窮屈なのだとか、上皇となって、気軽なお立場をとりたいのだとか、あるいはまた信西入道の思惑をお砕きになって、そうそう思い通りにはならぬというところをお見せになったのだとか、いや、そうではなく、すべては信西入道その人の方寸から出ていることであるとか、いろいろな噂が流れました。

そして院政が始められるや否《いな》や、院の別当*として信頼が選ばれました。こうなりますと、信頼は信西入道に対抗する実際の地位と力を与えられたようなものでありまして、世の中はこれを境といたしまして、急に不安なものに覆《おお》われてしまったのでございます。暫《しばら》く人の口の端《は》に上ることがなかった武家の棟梁《とうりよう》たちの名前があちこちで囁《ささや》かれ、また実際にその動きが目立って来、公卿朝臣《あそん》との武士の結びつきがやかましく噂されるようになったのでございます。信西入道の三男成範《なりのり》が清盛朝臣の女《むすめ》を娶《めと》っている関係から、清盛一族は信西方であるとか、義朝は己が女を信西の子で西山吉峯《よしみね》の往生院に居る信乃《しなの》入道に嫁がせようとして失敗し、それ以来信頼と往来が繁《しげ》くなっているので反信西方だとか、いろいろなことが噂されました。このような噂は、あとになってみますと、大体どこか一点真実に触れているところがありまして、人と人との結びつきというものは、案外そのような姻戚《いんせき》関係とか、小さい事件とかに強く左右されるもののようでございます。

また清盛朝臣は播磨守《はりまのかみ》に進み、兄弟、子息みな昇殿を許されているが、義朝の一族はそれに較《くら》べると不遇であって、源氏一族はみなこれを不満に思っているので、信西、信頼の争いは源平二氏の争いになるであろうというような見方もされました。こうした時に於《お》いて、後白河院の御事が少しも人の口の端に上らなかったことは、後白河院の生れながらにお持ちになっていたお人柄のためでございましょうか。あるいはまた、誰の眼にもどちらに味方なさるか、その時になってみないと判らぬといったところがおありだったためでございましょうか。

信範の勝手な推量を許して戴くとしますと、後白河院はすでに、信西入道の首が晒《さら》されることも、そしてまたそのあとで信頼の首が同じように晒されることも、すっかりお判りになっていらしったのではないか。そんなことさえも申し上げたいような気持になって参ります。

これから先きのことは、ここで詳しく申し上げる必要はないかと存じます。平治の乱から七年しか経っておりませんし、内府さまも十歳に近くなっておられ、――いや、左様でございますか、十一歳におなりだったのでございますか、ではなおさらのこと、何もかもご自分の眼でごらんになり、ご自分の心で判断なさっていらっしゃることだと存じます。

まことにあの二つの事件はあっという間に起り、あっという間に片付いてしまったあっけないものでございました。保元の動乱もあっけなく起り、あっけなく片付いてしまいましたが、平治の変はそれに輪をかけたようなあっけなさでございました。信西入道と信頼の二人の権力者が僅《わず》か一カ月足らずの間に、後白河院の周辺から姿を消してしまおうとは、誰が想像していたことでございましょうか。

二条天皇が即位遊ばされ、保元四年四月に平治と改元されました。その年正月には清涼殿東庭に於て、二条帝は妓女《ぎじょ》を御覧になり、二十一日にはまた妓女が舞曲を奏するのをお聴きになり、信西入道も勅を奉じて、その曲を練習したというような、のどかな話まで伝わりました。いまにも合戦が起るのではないかという暗い空気も、こうした噂のために一時立ち消えになった程でございました。

この年の事件で申し上げるものがあるといたしますと、八月十六日の寅《とら》ノ刻（午前四時）に上皇のお住まいである高松殿が炎上いたしたことでございましょうか。この御殿は一月前に改修して、後白河院がお移りになった許りの時のことで、巷間ではいろいろと取沙汰《とりざた》されました。もともとこの御殿は鳥羽院が長門守師行《ながとのかみもろゆき》に命じて建築させたもので、故院の霊が何かお気に召さぬことがあって、この災禍を呼んだのではないかというようなことが言われました。何か厭《いや》な事件の起る前兆のように受け取られたのでございます。

事件はご存じの如く、突如として起りました。義朝が兵を挙げ、後白河院がおられました三条烏丸御所《からすまるごしょ》を襲って火をかけ、後白河院を一本御書所《いっぽんのごしょどころ》にお移しいたしましたのは十一月二十六日の夜のこと、そして他の一隊は信西入道邸を襲いましたが、入道は早くもこのことあるを察して、一族と共に京を脱け出しておりました。信西入道と結んでいた清盛が基盛、宗盛の二子と侍十五人を連れて熊野《くまの》へ参詣《さんけい》に出た留守に起った事件でございました。信西は大和まで落ち延びましたが、そこで自刃《じじん》し、その首が西獄門の前樹にかけられたのは十二月十七日のことでございます。

信頼は内裏にあって、上皇と天皇を擁して政権を握った恰好《かっこう》になりましたが、忽《たちま》ちにして一緒に行動した朝臣公卿たちに叛《そむ》かれました。自分と共に事を起した者たちの心を掌握する力も、人望もなかったのでございます。藤原成親《なりちか》、藤原経宗、藤原惟方《これかた》といった人々も信西入道の専横な行動を快く思う筈《はず》はなく、この事件においては信頼の陣営にあったと思うのでございますが、こういう人たちが、こんどは信頼を見限ってしまいました。その月の二十五日には、二条天皇は深夜ひそかに惟方のお供で清盛朝臣の六波羅にお移りになり、後白河院は仁和寺に渡御《とぎょ》遊ばされ、翌二十六日清盛朝臣に信頼追討の勅命が降《くだ》りました。信頼は翌日六条河原で処刑され、義朝は尾張《おわり》まで逃げましたが、家来のために誅《ちゅう》せられ、その首が都に送られて東獄門にかけられたのは正月九日のことでございます。

すべては一カ月余りで片付いたわけでございます。この事件で信西入道の自刃が信西らしくなく、あるいは誰かに斬《き》られたのではないかということが噂されましたが、やはり信西入道は自らの命を自らの刃《やいば》で断ったのに違いないと思います。なるほど信西入道の最期《さいご》といたしましては甚だあっけないものではございましたが、信範にはそのようにした入道信西の気持が必ずしも判らないではないのでございます。併し、このことを御説明いたしますのは大変骨の折れることでございます。信西入道ともあろうものが、大和で政変を聞いた時、信頼の天下がそう長いものでないことぐらいは充分承知していたであろうと思います。それでもなお自らの生命を断つ気になりましたのは、自分の亡《ほろ》びを願う者が信頼以外にあるということに気付いたからではないかと思うのでございますが、いかがなものでございましょう。獄門にかけられた信西の顔は、そのように考えますと、凄《すさ》まじいものでございました。

第二部

女院《にょういん》（建春門院）*がお亡《な》くなり遊ばしたのは安元《あんげん》二年の秋の初め、ついきのうのことのように思われますが、いつかそれより三年の月日が流れました。女院崩御ののち、わたくしは宮仕えから退《さ》がりまして姉の京極《きょうごく》の家に身を寄せ、今日に至っておりますが、女院の御事が悲しいことの初めとでも申しましょうか、そのあと世は何かと騒がしく、わたくしのようなものの身辺にも、思いもかけぬこと、悲しいことが次々に起りまして、世の中がどのような鎮《しず》まり方をいたしますか、先き先きのことを考えますと、心は不安な思いにふさがれる許《ばか》りでございます。

宮仕えのことをお話しせよとの仰《おお》せ、それを承って、ふとお気持に添って、何かと思い付くままにお話ししてみようかという気になりましたのも、女院のお傍近く侍《はべ》っておりました過ぎし日のことが、それもそう遠い昔のことではございませぬのに、今となりましてはただ夢の中のことのように思われまして、今のうちにそれがどこへも飛び散ってしまわないように、うたかたのごとく消えてしまいませんように、拙《つたな》い筆ででもいいから書き留めておこうと、そんな気持で、姉の家に身を寄せるようになりましてから、筆を執りましたものがあったからでございます。拙い文章でお目にかけることはできませんが、それをもとにしてわたくし自身がお話しすることはできるかと存じます。書き留めてありますものの順序でお話しいたしますので、先きに申し上げるべきことがあとになったり、またその反対のことが起ったりいたすかと存じますが、そのこと予《あらかじ》めお許し願っておきます。

わたくしが初めて御所へ上がりましたのは仁安《にんあん》三年の春で、いまから十一年前、十二歳の時でございます。女院には近く后《きさき》にお立ちになるという噂《うわさ》があり、その女院の許《もと》にお仕えするようにという話が、どこからか持ち出されて参ったのでございますが、稚《おさな》いわたくしにはその間の事情は判《わか》ろう筈《はず》はなく、万事母たちが取りしきってくれまして、御所へ上がることになったのでございます。

その日のことはただ夢中で何事もよくは憶《おぼ》えておりません。新しい晴衣《はれぎ》を着、くるまで家を送り出されました。御所に着きますと、同じように宮仕えしたことのある姉も待っていてくれ、女房の中で生家と親しくしている人たちも出迎えてくれまして、夢うつつの中《うち》にそうした人たちの世話になりました。紙燭《しそく》を持った若いひとのあとに随《したが》って奥へ参り、広い部屋の隅の方に坐《すわ》らせられておりますうちに、部屋内は既に薄暗くなっておりましたが、やがてお庭先きの方までもすっかり夜になってしまいました。もう今日はお目通りできないと諦《あきら》めておりますと、女院がこちらにいらっしゃる気配がして、やがて障子の間からお覗《のぞ》きになったらしく、まあ、いとけないこと、父親には可愛《かわい》がられているでしょうね、とおっしゃるお声が聞えました。わたくしと一緒におりました姉が御挨拶《あいさつ》申し上げると、じかに会うといいけれど、取り乱しているからとおっしゃって、そのお声が消えて暫《しばら》くすると、片方の襖《ふすま》があきました。そこが御座所でございました。女院は御几帳《きちよう》を取り寄せられ、そこに掛けてある練絹《ねりぎぬ》の間からちらっとお顔をさし出されました。その時、ちらっとお見かけしたお顔の美しさは終生忘れられぬものでございます。わたくしは息を詰めたまま、身動きひとつしないで、世の中にはこのような美しい方もあるものかと、ただそのような思いの中に我を忘れていたのでございます。お庭先きを埋める春の夜の闇《やみ》は濃く、その濃い闇に包まれたお館《やかた》に、ものの精とでも申し上げるほかはないお美しい方はお住まいだったのでございます。

この時女院は二十七歳であらせられた筈で、それから三十五歳でお亡くなりになりますまで、わたくしはずっと女房の一人として女院にお仕えいたしたわけでございます。何分御所に上がりました時は西も東も判らぬ年頃、女院のお美しさも、ただお美しい、お美しい、少しでもそのお美しい方のお傍近く侍っていたいといったたわいのない気持でございましたが、宮仕えの終り近くなりますと、わたくしも多少分別のできる娘の年齢に踏み入っておりまして、女院のお美しさというものが、そのお顔やお姿の類《たぐい》のないめでたさに依《よ》る許りでなく、そのご性格からも、そのお仕種《しぐさ》からも、そのお言葉遣いからも、凡《およ》そ女院がお持ちになっているすべてのものから、極く自然に照り輝いて来るものだということが、朧《おぼろ》げながら判るようになりました。

女院のお美しさについて、どなたにも判って戴《いただ》くようにお話しすることは難しいことだと思います。神さまや仏さまが女人の美しさというものはこのようなものであろうかと、あれこれお考えになった末にお造りになったのが、他《ほか》ならぬ女院というお方であると、こうとでも申し上げるよりほか仕方がないことかと存じます。ご存じのように平時信卿《ときのぶきよう》の御息女、時忠卿《ときただ》*の御妹御としてお生れになりまして、御家柄として不足はないにしましても、女院というお方を考えますと、ご出生になったお家というようなものも女院とは何のかかわりもないような気がいたします。お生れになる場所として、仮りにどこかの家をお借りになっただけのことであって、もともと、神さまや仏さまが美しいものを、美しいものをと、丹精を籠《こ》めてお造りになって、女院というお方がおできになったのでございます。

後白河院の後宮におはいりになり、初めは小弁《こべん》、東の御方といったお名前でお称《よ》ばれになっていたと承っておりますが、いずれもお若かった女院のお姿が眼に浮かぶような美しい御名でございます。殊更《ことさら》に院のご寵愛《ちょうあい》の深かったことも、それは当りまえのことで、応保《おうほう》元年に高倉帝をお産み遊ばされるに到《いた》って女御《にょうご》となられ、それから七年後は后立《きさきだ》ちと、順調にお歩みになられましたが、これまたご幸運と申し上げるようなことではなく、至極当りまえのことでございましょう。

わたくしが御殿に上がりました年の二月、高倉帝は御齢《おんとし》八歳で帝位にお即《つ》きになり、女院は皇太后におなり遊ばし、それから一年ほどして、わたくしどもはそれまで御所さまとお称びしていたのを、女院とお称びするようになったのでございます。院のご落飾のことがありましたのは、女院が建春門院の尊号をお受けになった同じその年のことでございます。

女院のお人柄について申し上げる前に、その頃女院にお仕えした女房たちについて簡単にお話し申上げておきます。その頃何人の女房がお仕えしていたか、詳しくは算《かぞ》えたこともございませんが、わたくしのような稚い者も加えますと、ゆうに六十人を超えていたように思われます。いずれも女院と何らかのかかわりを持った公卿朝臣《くぎょうあそん》の娘がお召し出しに与《あずか》っておりまして、それぞれが互いに劣るまいと綺羅《きら》を飾っておりましたので、御所の内はどこへ行きましても、それはそれは華やかなものでございました。身分低い者もないわけではありませんでしたが、これはこれでやはり親たちが他のひとに敗《ひ》けをとらぬようにと大変な気の配りようで、そうした人たちも雑仕《ぞうし》や童女《わらわめ》の一人や二人は使っていない者はありませんでした。そういうわけで、それぞれの居室である局《つぼね》も、絶えず花でも咲き盛っているように、華やかで賑《にぎ》やかでございました。賑やかと申しましたが、それはただ眼の受ける感じから申しましたまでのことで、かりそめにも騒がしいというようなことはございませんでした。定番《じょうばん》の女房としてお傍に侍る上﨟《じょうろう》も、台盤所《だいばんどころ》*に詰めている中﨟以下の者も、御所内のどこに居ようと、高い声ひとつ立てず、終日袖《そで》つま乱さぬように、気をゆるすことなく取り繕っていたものでございます。

申すまでもなく、女房たちの間には年齢や家の格に依って幾らかの位づけもありまして、わたくしが上がりました当時は、三条殿、宣旨《せんじ》殿、冷泉《れいぜい》殿、堀川殿、新大納言《しんだいなごん》殿、内侍《ないし》殿の六人のひとびとが禁色《いろ》*を許されておりました。三条殿は内大臣源の大納言の娘、宣旨殿は藤原公隆《きみたか》卿の娘、冷泉殿は宣旨殿の御姉、堀川殿は中納言藤原顕長《あきなが》卿の娘、新大納言殿は平維盛《これもり》卿の室、この人はご座所近いところに局を賜って、特に女院にお目をかけて戴いておりました。それから、内侍殿は女院の御兄時忠卿の娘。これらの女房たちに続いていまは兵部卿《ひょうぶきょう》、その頃は蔵人頭《くろうどのとう》であった平信範卿の娘の小《こ》宰相《ざいしょう》殿、藤原季兼《すえかね》卿の娘の帥《そち》殿、大宮亮《すけ》源俊隆《としたか》卿の娘の中将殿、その他、卿殿《きょうのとの》、督《こう》殿、新大夫殿と、算えて行ったらきりはございません。わたくしでございますか、わたくしは家では健御前と称ばれておりましたが、御所へ上がりましてからは、中納言殿と称ばれました。父俊成《しゅんぜい》*はわたくしが御所に上がりました年に漸《ようや》く右京大夫に任ぜられたのでございますから、その点、わたくしは自分が中納言殿と称ばれますことに、子供心におかしみを感じていたものでございます。

さて女院についてどのようなことをお話申し上げたらよろしゅうございましょうか。宮仕えのことをお話しせよとの仰《おお》せでございますが、わたくしの場合、取りわけ親しくしていた女房があったわけでもなく、何を思い出しましても、女院がその中にお坐りになっていらっしゃいまして、所詮《しょせん》は女院のお話に始まり、女院のお話につきるのではないかと思います。

先きほど初めて女院をお見掛けした折、そのお美しさにはっと息を呑《の》むような思いがしたと申し上げましたが、若《も》しあの時御几帳のかたびらの間からつとお顔をお出しになるようなことをなさらないで、尋常のお目通りの仕方でお目にかかっていましたら、同じようにその美しさに打たれるにしましても、このようにいつまでもその時のお顔がこちらの心に残ることはないのではないかと思います。いまになって思い返してみますと、このような心にくいほどのお仕打ちで、こちらの心をお捉《とら》えになってしまう、そういうところは女院だけがお持ちになっていらっしゃるものでございました。

夏など、わたくしたちと貝おおい、石どり、乱碁《らんご》*などのお遊びに興じられたあと、ああ、辛《つら》い、とおっしゃって、お横になり、午睡をおとりになることがありました。そんな時、いかほどもお寝《やす》みにならないうちに眼をお覚ましになって、暑やとおっしゃって、笑うとも睨《にら》むともつかぬおからかいの表情で、袷《あわせ》の御小袖のお胸をひきあげて、わたくし共にははたはたと扇で風を入れさせることがございました。高貴な方のいかめしさは露ほどもなく、それでいて、やはり思わず見惚《みと》れてしまうような好もしいご様子でございました。

また春の暮方など、時々赤い御袴《はかま》を召し、女房たちと紛れるような御服装で、十人二十人と打ち連れて繰り出す女房たちの間におはいりになり、門のあたりまでこっそりとお遊びに出られるようなこともございました。そうした折、春の白っぽい夕闇の中をお供いたしておりますわたくしたちは、一人残らず夢心地だったと思います。わたくしたちを夢心地にさせるものを女院という方はお持ちだったのでございます。

女院のお召しものでございますか。平生でも贅沢《ぜいたく》な御服を召していらっしゃいましたが、どんな上等の御服も女院のお体を包むにはなお固すぎるように思われました。冬は二重に織りなした御衣《おんぞ》を三つ重ねになさいまして、御小袴をお着けになります。夏は生糸で織った絹のお召しもので、白い色がまたよくお似合いになりました。当今多くのひとの用うる紺だけは見苦しいとおっしゃって、夏も冬もお使いになりませんでした。

女院のお優しさは生れ付きのものでございましたが、すぐそれと判るようなお優しさではございませんでした。お亡くなりになったあと、初めて、それと気付き、そのお優しさがひしひしとこちらの胸にこたえて来る底《てい》のものでございました。女院のお相手をして、台盤所から、上﨟が詰める二間まで、女たちでいっぱいになり、おとなも子供も、貝おおい、石どり、碁、乱碁、双六《すごろく》*などに打ち興じ、ひねもす遊びたわぶれ、遊び暮すようなことがございましたが、いま考えてみますと、女院はご自分がお楽しみになるというより、女房たちを慰めるお気持の方が強かったのではないかと思われます。わたくしたちが女院のお相手をしたのではなく、女院の方がわたくしたちの相手をして下さっていたのではなかったか、当時のことを思い返しますと、しきりにそのような気持になって参ります。

女院は女房たちに惜しみなくお身廻りの物をお与えになりました。折々の賜りものだけでもたいへんな数でございました。五節《ごせち》の舞姫*に賜りものをなさいますのは毎年のしきたりでございますが、そんな時はお仕えしている女房たち全部も守り袋に入れた薫物《たきもの》を戴きました。またお祝いの飾櫛《かざりぐし》も、わたくしたち若いものなどは、その夜は五つ賜り、その翌日また一つ賜るといった具合でございました。夏は夏で扇を賜り、御衣の頂戴ものは女房たちの他の何ものにも替え難《がた》い季節季節の楽しみでございました。女院は正月とか五節とかいう特別の日でなくても、何かに託して、女房たちに物をお与えになりました。定番の女房二十人許《ばか》りは、身の装束、食器の類までみな女院のご沙汰《さた》がありました。時にはお傍に侍しているわたくしまで、はっとするようなことがございましたが、いまにして思うと、女房たちが少しでも酬《むく》われるように何かとお気をお使いになっておられたのでございましょう。

このようなことをお話いたしておりますと、毎年春になって昼《ひ》のご座所に満開の八重桜の大きな枝を瑠璃《るり》の大壺《おおつぼ》に活《い》けたものが飾られましたが、なぜかその一間にあまる程のみごとな枝々に、いまにもこぼれそうについている薄紅《うすあか》い花の厚ぼったい美しさが思い出されて参ります。女院のお美しさが、と申しますより、女院というお方が心の中にお持ちになっているものが、何かその満開の桜の花の美しさに似ているような気がいたします。すぐにも散ることをご存じの上で、思いきって華やかにお咲きになっていらっしゃるような、それだけにまた、うつろな淋《さび》しさもどこかにお持ちになっていらっしゃる、そのような女院のお姿が、八重桜の花とひとつになって思い出されて参ります。

高倉帝が御位に即かれたのは仁安三年二月十九日、それからふた月ほどあとの四月二十八日に朝覲《ちょうきん》の行幸《ぎょうこう》がございました。新帝が御父後白河院と御母建春門院に天皇としての最初のご挨拶をするための行幸でございます。その時、わたくしは寝殿へおわたりになる女院のお供をいたしましたが、女院は先きに行くようにとお命じになり、幼いのに重い着物を着て、いたいたしいこと、とおっしゃったお声がいまも耳に残っております。わたくしといたしましては、御所へ上がりまして最初の大事で心が張っていましたためか、装束の重さは感じておりませんでした。

この日の御儀で、新帝のご作法が成人の礼に適《かな》ってご立派であり、席に侍った朝臣百官尽《ことごと》く感嘆しない者はなかったということがわたくしたち女房の耳にまではいりました。このことはひとしきり御所の中を明るいものにし、よかった、ほんとによかったという意味の言葉があちこちで囁《ささや》かれました。女房から雑仕にいたるまで、女院《にょういん》の御所に仕えている者のすべてが、なぜこのように悦《よろこ》ぶか納得の行かない気持でしたが、わたくしも亦《また》、人におくれまいといった気持で同じように悦んだものでございます。

これは三、四年経《た》って初めて判《わか》ったことでございますが、その頃高倉帝の御即位について、女院と女院の姉君に当られる八条の二位殿*がご画策をなさったという噂が世上に流れておりまして、そうした噂が女院にお仕えしている者としましては、好もしくあろう筈《はず》はなく、そのような時に新帝のご評判のよろしいことが伝わって誰も彼もがほっとするものがあったのでございます。新帝が賢明であらせられ、人に優れたご器量をお持ちになっていらっしゃる以上、即位遊ばされたのは当然のこと、このようにひとをも、自分をも納得させるものがあったのでございます。

先帝六条帝は亡《な》き二条院の第二皇子であらせられ、この時四歳、即位遊ばされてから僅《わず》か二年で、ふいに高倉帝に譲位遊ばされたのでございますから、兎角《とかく》の噂が世上に流れたのでございましょう。入道相国《しょうこく》（清盛）を初めとしまして平氏一門の方々の異常な栄達が目立って来ております時のこととて、世人の眼は何事もそうしたことと結び付けて考えずにはいられなかったのでございます。女院の御姉八条の二位が入道相国の室であるところから、高倉帝のご即位が平氏一門の者に幸すると考えられても仕方ございませんが、入道相国にそれを望まれる気持はおありだったとしましても、女院がそのためにお動きになったと見るのは、女院というお方のおひととなりをあまりにも存じ上げない者たちの申すことでございます。女院におかれましても、ご自分のお腹《なか》を痛められました御子が帝位に即かれることはお悦ばしいことに違いなく、そうあって貰《もら》いたいとお考えになることもあったかと存じますが、そのためにご自分がお謀《はか》りになるようなことは夢にも考えられぬことでございます。先帝がご譲位後数年で崩御遊ばされたことから推しましても、先帝御病弱の故《ゆえ》に高倉帝がお代りになったのでございましょう。

わたくしが初めて高倉帝を拝しましたのは、嘉応《かおう》二年正月三日の朝覲行幸の折でございます。申し上げるまでもなく高倉帝が院ならびに女院に新年の賀をお述べ遊ばすための行幸でございまして、わたくし共女房は寝殿内部の御儀の模様については垣間《かいま》見《み》ることさえできませんが、それでも精いっぱい着飾りまして、辰《たつ》ノ刻（午前八時）には寝殿の東の庇《ひさし》から台盤所まですきまなく居並んだものでございます。

やがて、主上のお輿《こし》がお着きになったことを告げる笛や太鼓の楽の音は聞えてまいりましたが、その盛儀の程は窺《うかが》い知ることはできません。が、この日の御作法も亦成人の礼に適うご立派なもので、貴きかな、貴きかなと、感嘆しないものはなかったと聞いております。

御拝《ごはい》の儀が終りましてから、主上方の女房、院の女房、わたくしたち女院の女房と、それぞれ席が設けられまして、そこで宴席の賑わいを見物することを許されましたが、見えるのはたまたま自分の眼にはいっているところ許りで、全体を見渡すというようなことは思いもよりませんでした。それでも束帯《そくたい》有文《うもん》の帯や螺鈿《らでん》の剣を着けた高位の公卿《くぎょう》たちが時折ちらちら見えておりました。舞などが始まって暫《しば》らくしました時、高倉帝がわたくしたち女房の席の方へおはいりになっていらっしゃったことがございました。明けて十歳のお若い天子でございます。すきまなく居並んでいるわたくしたちをお見廻しになって、あけてある道はわざとお歩きにならず、女房たちを押し分けてお通り遊ばしたりして、そんなところはただお可愛《かわい》らしく、お親しげな気さくな御性格と拝しました。当日帝《みかど》にはお遊びにお笛をお吹きになったということでございましたが、わたくしのところからは拝することはできませんでした。この日は刻《とき》の経つのが信じられぬ程早く、あっという間に日が昏《く》れました。暗くなりましてから高官の方々の楽の行事がございました。最後に右大臣兼実《かねざね》卿が琵琶《びわ》をおひきになり、それが終ったのは戌《いぬ》ノ刻（午後八時）でございました。

滞りなく御儀がすんで、還御《かんぎょ》の折、院は稚《おさな》い帝の御下さがりのすそをおとりになってお見送りになられましたが、それをごらんになった女院は、昼とはお立場が逆になって、何かとお世話して差し上げねばならず、たいへんでございますねと、笑いながらおっしゃいました。何とも言えずなごやかな好もしいその場の御有様でございました。

わたくしはこのあと、このような席に侍ることが何回かございましたが、この日の女院が一番お仕合せでお楽しそうでございました。年の初めの迎春の御儀ではありましたが、それ許りでなく、まだまだ院と福原*の間もまろやかで風波らしいものはなく、かりそめにも世が騒がしくなろうなどとは考えられぬ時でございました。

入道相国の息女徳子姫が高倉天皇の中宮になられましたのはその翌々年の承安《しょうあん》二年のことでございます。高倉帝は十二歳、中宮は十八歳でございます。入道相国は息女の何人かを摂関家へ嫁がせられ*、摂関家と浅からぬ関係をもっておられますが、その上皇室との関係も、これで二重に深くなったわけで、平家一門の繁栄はこの時に極まった感じでございました。この場合も亦、一部の公卿の間には兎角の風評があった模様で、そうしたことがきれぎれにわたくしたちの耳にもはいって参りました。

徳子姫入内《じゅだい》のために平氏一門の力が今まで以上に強くなり、ために今にも院方にご不幸が見舞うように言う者もあれば、こんどのことは院自らお望みになったことで、徳子姫に中宮たるの資格をお持たせになるために、院はいったん姫をご自分の養女とさえなされていると言う者もございました。また入道相国は院のために蓮華王院《れんげおういん》*の造営にも当り、度々院を福原へもお招きしている。そうしたことから推しても、院と福原の間にはなんのわだかまりもあろう筈はなく、このたびのこともお悦びしていいことでこそあれ、後の禍《わざわい》となるようなこととは思われぬと言う者もございました。

わたくしたち女院にお仕えしております者は、ただひたすら何事も女院のお仕合せになるようにと思う許りでございますが、さて、それならば徳子姫入内が女院のお仕合せになることであるかどうかということになりますと、すぐには判りかねる思いでございました。平氏一門のご威勢が増すということが、女院にとってお悦ばしいことか、あるいはその逆であるか、誰にもはっきり判らなかったようでございます。

女院は平時信卿の御息女、たとえ武門平氏の出でないにいたしましても、平氏の一族であらせられることには間違いはなく、御姉君二位殿は入道相国の室でもあり、平氏との御関係の深いことは言うまでもなく、それに加えてこの度の御事によって、その御間柄はいよいよ濃いものとなったわけでございます。

後白河院が平氏一門に対して、どのようなお考えを持っていらっしゃるかは窺い知ることはできませんが、一般の公卿、殊《こと》に院の近臣の方々が兎角専横な振舞の多くなっている平氏一門に対して心平らかでないことだけは、誰の眼にも明らかでございます。こうしたところにいつの日か何か容易ならぬことが起るのではないか、そしてそのような時、一体、女院のお立場というものはどのようなことになるか、わたくしたちは何がなし心安からぬものがあったのでございます。

このように申しましても、これは女院にお仕えしているわたくしたちの、うつつならぬものへの怯《おび》えのようなものでございまして、女院ご自身にはご関係ないことだったかも知れません。あるいはご関係ないと申しますと、それは言い過ぎになり、女院も亦、それをはっきりした形でないにせよ、心のどこかでお感じになっていらっしゃったかも知れません。先きほど、高倉帝の正月三日の朝覲行幸の日の女院のなごやかなお楽しそうなご様子は、あとにも先きにもないものだったと申し上げましたが、それ以後の女院には、確かにそのお美しさの中に少し別な影が射《さ》していたようにお見受けしたものでございます。

徳子姫入内の前年の秋、院の御姉君であらせられる上西門院《じようさいもんいん》*の御堂供養《みどうくよう》のことがございまして、院、女院、お揃《そろ》いで御堂の建てられた花園の法金剛院*にお成りになりました。承安元年十月八日のことでございます。入道相国、左府、左将軍、その他神事関係の方たちが大勢、いずれも束帯でお出になりました。わたくしたちもいだしぐるまでお供をし、前夜から法金剛院の古い御堂の局《つぼね》に詰めておりました。ご法要は未ノ刻《ひつじ》（午後二時）より始まり、灯ともし頃に終り、帰路も亦、わたくしたちはその局の前からくるまに乗りました。このご法要では、いだしぐるまに乗る服装が前以《まえもつ》て定められてありまして、もみじにくれない、うらこき蘇芳《すおう》の上着、上しろき菊の唐衣《からぎぬ》、それから模様は上着、唐衣共に菊のちりはな、といった派手なものでございました。わたくしはこの日ずっと女院のお傍に侍っておりましたが、ご法要のあいまに、女院はふと遠いところをごらんになる眼付きをなさって、この間二位どのとお互いに一つずつ御堂を建てておきましょうねとお話したんです、とそんなことを、半ばひとり言のようにおっしゃったことが、何か気にかかることでございました。

あれはいつのことでございましたでしょうか、確か承安三年の五月のことだったかと思います。南殿の寝殿の南面で、鵯合せ《ひえどりあわ》が行われたことがございます。集まられたのはいずれも今を時めく公卿殿上人で、左右二つに別れ、それはそれは賑《にぎ》やかなことでございました。左はお頭が大納《だいな》言《ごん》重盛卿で錦《にしき》の幄《とばり》を打ち、右はお頭が中納言邦綱《くにつな》卿で黒木の仮屋を造り、片方は五節の装束、片方は舞人の装束というように互いに趣向を凝らしての鵯合せでございました。鵯を合せて、その鳴声を競うだけのことでございますが、風流をつくし、贅沢《ぜいたく》をつくしたもので、この御催しのための費用は、さぞ大層なものであろうと思われました。この御催しの最中、中将光能《みつよし》卿が鳥を合せました時、光能卿の鳥も相手の鳥もいつまでも声を出さず、それで引き分けということになり、互いに鳥籠《とりかご》に仕舞おうという時になって、光能卿の鳥だけがひと声鳴きまして、それで勝負は決まりました。その時院は光能卿に、ぬしに似て、しのびやかに勝ったなと仰《おお》せになりました。

わたくしは、この時初めて、間近で院のお声というものを聞き、お言葉をお出しになる時のお顔を拝しました。光能卿はさすがに少しだけお顔を硬くされましたが、いかにも院のおっしゃり方には容赦ないところがございまして、聞く側の者には心をえぐられるような、はっとするものがございました。光能卿は院のご寵臣《ちょうしん》として聞えておりました方だけに意外なことでございました。その時、女院も院のお言葉をお聞きになったらしく、声をお出しになってお笑いになりましたが、その声を鵯の鳴声のようにぷっつりとひと声でおとめになり、笑い声はお出しになっておられたのに、お顔は少しもお笑いになっていないことが、わたくしには、これまた訝《いぶか》しく、気にかかることでございました。

上西門院の小御堂供養の折、女院がご自分の御堂のことをおもらしになりましたが、その御堂が実際に建ち、その供養の御法要が営まれましたのは、鴨合せのありました同じ年の十月のことでございました。上西門院の御堂供養も派手なものでございましたが、女院の御堂供養はそれに何層倍かする華やかさでございました。御堂は最勝光院*と名づけられ、右大臣兼実卿が院宣に依《よ》って額銘をお書きになったと承っております。

その日の女院のご装束はたとえようなくご立派なものでございました。同じ文《もん》の黄地の唐錦を六つお重ねになり、打御衣《うちおんぞ》、御上着、唐衣、いずれもおもては錦だったと思いますが、よくは覚えておりません。尤《もつと》もこれはご法要の時の御装《よそお》いでありまして、それが大層重いとおっしゃって、御所から御堂までの道中は白地に錦の二つ御小袖《こそで》、それに赤地の錦の御袴《はかま》をお着け遊ばし、上にはただの薄御衣を召されました。女院がお供申し上げたわたくしたちに、その軽い御装いについて、ちょっとお洒落《しやれ》が過ぎたかしら、とお笑いになりながらおっしゃったご様子は、幾らか浮き浮きしたところもおありになって、この上なく美しいものでございました。

女房たちも、他《ほか》ならぬ女院の御堂供養でございますので、それぞれが念にも念をいれた仰山な装束で、このようなことは後にも先にもないことでございました。女房四十人、いずれも蘇芳の斑濃《むらご》で揃えまして、上着、唐衣、裳《も》の腰、みな同じ斑濃でございます。そして上着、唐衣にはめいめいが趣向を凝らし、縫いものしたり、金銀のすかしの薄板を縫いつけたり、箔《はく》をおいたりいたしました。わたくしはわたくしで、唐《から》綾《あや》の斑濃、青裏のひとえ、くれないのあやの打袴。上着、唐衣には金銀粉で下絵いたしまして、上着には「をりてかざさん菊のはな」*とおき、唐衣には三、四寸ほどの菊の枝に露をおきました。また唐衣には「長生殿のうちには春秋富めり、不老門の前には日月遅し」*の詩句の意を現して日を出し、左右の袖には春の梅、秋の紅葉をつけました。扇も衣類に合せて、これまた蘇芳の斑濃、親骨は金。供の雑仕《ぞうし》二人は、黄に青うら、くれないのひとえ、薄物の赤いろのかたびらに、大きな蝶《ちょう》を縫いものにし、それに青地の錦のかけ帯、玉のうわざし、かけ綴《と》じくくり、水の文の綾の裳に金で島をつけ、そこに鶴《つる》を立て、蘆《あし》をおきました。

このように、いまその日のことをお話しておりますと、御堂供養前後のわたくしたちが何かただならぬものに憑《つ》かれていたのではないかといった胸騒ぎを覚えて来るくらいでございます。楽しいことができるうちにせいぜい楽しんでおこうといったような、妙に浮き浮きしたものが、女院にも、女院にお仕えしているわたくしたちにもあったようでございます。

御堂のお支度が調いました頃、行幸がございました。左大臣経宗《つねむね》卿以下供奉《ぐぶ》参会の方々が中門の外に、大納言左大将師長《もろなが》卿が門内にお立ちになられ、関白基房《もとふさ》卿の御先導で、笛や太鼓の楽の音の中を、御輿は中門の内部へ進まれました。

わたくしたちは、ご法要の営まれている間、ずっと飾りの几帳《きちよう》の前に坐《すわ》らされておりまして、几帳に遮《さえぎ》られて行幸も、大勢の僧侶《そうりよ》たちがお経を唱え花を撒《ま》きながらお堂の周囲を回る大行道《だいぎようどう》の儀式も見ることはできませんでした。読経《どきよう》や楽の音はすぐそこに聞えましたが、時折、舞人の装束の袖が見えたり、獅子《しし》舞《まい》の脚が見えたりするくらいでございました。式場には出ないで局にいた女房たちの方が却《かえ》って、ご法要の舞台を眼にすることができたということでございました。

この御堂供養の日、南都の衆徒《しゆと》がひそかに上洛《じようらく》、叡山《えいざん》と事を構えようとしていると風聞がございました。これより三日前には、反対に山の大衆《だいしゆ》が奈良に押し寄せるという噂《うわさ》がございました。いずれも噂に過ぎず大事には到《いた》りませんでしたが、何となく世の中はざわめき立っておりまして、御所内のこの世ならぬ華やかなご法要が別の世のことのように思われました。

いまにして思いますと、この頃、このような華やかな催しが営まれております御所の中では、これとは全く違ったお話し合いが、一部の朝臣《あそん》の方々の内では取り交されていたのでございましょう。院ご自身もそうした御話し合いの中にお加わりになっていたと申すひともございますが、このことの真偽のほどは院おひとりしかご存じないことで、女院の御堂供養に参列した方々もお判《わか》りにならないのではないかと思います。

若《も》しお判りになっていらっしゃる方がありとすれば、それは他ならぬ女院ではあらせられなかったかと、なぜか、しきりにそのような気がいたすのでございます。院が女院を特別にご寵愛になっておられたことは申すまでもないことでございますが、そのご寵愛がいかに濃《こま》やかでも、院は入道相国に対してお持ちになっているお気持の程は、お言葉の端《は》しにもお出しにならなかったことでございましょう。にも拘《かかわ》らず、それを女院がご存じだったかも知れぬと申し上げますのは、なんの拠《よ》りどころもないことではございますが、御堂をお建てになったり、その御堂供養の曾《かつ》てないほどの華やかさをお悦びになったりしておられる女院のお姿のうちに、何かなし一日の生命を咲き盛っている花のようなうつろなものが感じられたからでございます。

御所に院がおわします折は、わたくしたちは御前を退って御格子《みこうし》のあたりに居《お》り、若い人は局にはいっておりました。先きに赤い御袴を召して、女房たちとまぎれるような服装をして、門のあたりまでおしのびでいらっしゃることがあると申しましたが、そのようなことは、院がおわします折が多かったようでございます。院をお部屋にお残しになったまま、そのようにお振舞いになることはいかがかと思われないでもありませんでしたが、院よりも寧《むし》ろわたくしたちにお勤めになっていらっしゃるような女院が、まだ稚《おさな》いわたくしたちはただ忝《かたじけな》く、嬉《うれ》しく、好もしく思われたものでございます。

院がお越しの時は、光義、康経《やすつね》、経房《つねふさ》＊といった方々が局に詰めておられ、さまざまなご用を承っておりました。経房と申しますのは先き頃公卿の列におはいりになった吉田経房卿のことで、この方は女院の御堂供養のあった頃、二十歳をこえるかこえないかのお年であったと存じます。この方がいつか蔵人《くろうど》の方たち三、四人居ります席で、院のお噂申し上げているのを聞いたことがございます。

経房卿が蓮華王院宝蔵の御書の目録を作ることを承った時、院は、漢籍はどこにも沢山あるから、証本となるべきもののほかは備えておかなくてよろしい。それより国書や古人の書いたものは、尽《ことごと》くどこへも散らさないで集めておくようにとお命じになったということでありまして、そのご見識のほどの尋常でないことがその時一座の人たちに依って語られておりました。

またこの時と同じように、やはり蔵人所の人たちに依って、院が昔から今様《いまよう》をお集めになっておられる＊ということが、その場の話題として取り上げられたことがございます。院は時折今様合せをお催しになっていらっしゃるが、それについて今様を聞かれてお遊びになることがお好きのようにのみ申し上げる向きもあるが、決してそのようなものではない。古い頃の今様をお蒐《あつ》めになったり、それをお書き写しになったりしていらっしゃるのであって、院のお考えは下々の者がお噂申し上げるようなものとは違っている。そういったその時のお話でございました。

わたくしたちは院のお傍に侍《はべ》ることはめったになく、御所におわします時も、遠くから拝するのみで、そのおひととなりについては何も存じ上げず、そういうお話を伺うとただそのようなお方かと思うだけでございました。それにいたしましても、鵯合せの時、光能卿をおからかいになったように、ついと親しい方をもお突き放しになるようなところもおありではなかったかと思います。御所でも四季のお花などわたくしたちが恐縮する程深くお慈《いつく》しみになられますが、少しお鼻につかれると、それをごらんになるのがお厭《いや》のようでございました。いまになって考えてみますと、入道相国に対する御態度など、やはりそうしたところからお出になっているのではないかと思います。そうした院に対して、入道相国は世人の誰もが知っておりますように、自分から立ち向って行かれ、ために、この三、四年、騒がしいことが多かったわけでございますが、女院は女院でやはりそうした院のおひととなりを、誰よりも御存じではなかったかと思います。ただ入道相国とは違って、女院は何事も御自分から身を引くおひと柄で、御堂をお造りになったり、そうしたことにお悦《よろこ》びをお持ちになったり、果ては御寿命とは申せ、早くお亡《な》くなりになるようなことになったりしたことは、私には女院《にょういん》が何となくご自分でお図りになったことではないか、そんな気がしてならないのでございます。

院の五十歳の御賀が法住寺殿《ほうじゅうじ》で催されましたのは安元二年三月、わたくしの二十歳の春でございました。三月四日より六日まで三日間にわたる盛んな御行事で、いまその折のことを思い浮かべますと、すべては夢のようでございます。この御賀を境といたしまして、次々に厭なこと、荒ぶれたことが起きてまいりますが、この時はまだ院と福原の間もおもてだってさしたることもなく、女院もおすこやかであらせられ、重盛卿も数年を経ないで世をお去りになろうなどとは、誰ひとり考えなかったことでございます。

その日の暁、高倉帝には法住寺殿の南殿に行幸、中門にお輿《こし》をすえて入御遊《にゅうぎょ》ばされました。お祝物が中門の外の南のわきや廊の東の庭に運び込まれました。献物百捧《ほう》、屯食《とんじき》*百荷といった夥《おびただ》しい数のお品でございました。

寝殿の飾りつけはこれまでになく華やかなもので、たつみのすみ二間、東の小寝殿四間に女院の打出《うちいで》があり、西の対の南二間、東四間に中宮の打出、釣殿《つりどの》の北の廊に上西門院の打出と、それぞれの几帳《きちよう》に眼の覚めるような御衣《おんぞ》が掛けられてありました。釣殿の上や下には女院、中宮、上西門院の御方々の雑仕がさまざまの袖をつらね、南の島には武者所《むしやどころ》の者、楽屋の西ノ方には院の御随身《みずいじん》が狩装束で控えております。

やがて法皇が出御になり、天皇、皇族、百官の朝臣から、それぞれ賀をお受けになられたわけでございますが、わたくしたちは行事の催されます前の会場の模様に眼を見張っただけで、その盛んな御催を実際にはこの眼で見ることはできませんでした。ただわたくしともう一人の女房が女院のご用を承って、式場に出向いたことがございまして、その折、少将維盛《これもり》卿が落尊入綾《らくそんいりあや》＊を舞われるのを見ることができましたのは、果報というものでございましょうか。青色の上衣《うえのきぬ》、蘇芳《すおう》の上袴、はえたお顔の色、言葉につくしようのない匂《にお》やかな美しいものでございました。舞い終ってから、院は維盛卿に女院の織物の御衣に紅の御袴をそえて賜りました。父の大将重盛卿が座を立って、関白基房卿から維盛卿に代って、御衣を戴《いただ》き、それを肩にかけ、院の方へ御礼を言上いたしました。この日一番の面目であると噂されたことでございました。この日、もう一度舞台を覗《のぞ》くことができました。管絃《かんげん》のお遊びの時でございます。右大臣兼実卿の琵琶《びわ》、内大臣師長《もろなが》卿の箏《こと》、中宮大夫隆季《たかすえ》卿の笙《しよう》、大納言実国《さねくに》卿の笛、和琴《わごん》とひちりきは、残念ながらどなたか判りませんでした。

翌五日は関白以下、どなたも宿直《とのい》装束*でお集りになり、衛府《えふ》の人たちは老懸《おいかけ》*を掛け、壺胡簶《つぼやなぐい》を背負っておりました。院の御随身は思い思いの服装で西の釣殿のあたりに集まっており、その中で八十歳にもなろうかと思われる人が赤地の錦《にしき》の絹に白地の錦のひとえ、かわの帯をしめて、征矢《そや》*を負うている様が翁《おきな》さびてひときわ目立っておりました。午前中はそうしたところを一度通っただけでございましたが、昼になると、わたくしたちも船遊びを許され、東の釣殿へ寄せられた船へ、派手な思い思いの衣裳《いしょう》で乗り込みました。女院方の女房の船の棹《さお》さしは院の蔵人、中宮方の女房の船は内裏の蔵人、さまざまな晴着の袖口が船べりに並びまして、花で飾られた山車《だし》が池の上に浮かんだような恰好《かっこう》でございました。

時の経《た》つのを忘れておりますうちに、兼実卿、師長卿、重盛卿、その他隆季、実国、兼雅《かねまさ》、資賢《すけかた》、知盛《とももり》、実宗《さねむね》といった方々が院の御命令で女房たちの船に乗り込んで来られました。院の御命令ではありますが、院方の朝臣の方にも、平氏の公達《きんだち》にとっても、多少迷惑でないことはなかったと思います。そんなことはご承知の上で、院は互いにいつ敵になっても不思議はないものを同じ船にお乗せになったのでございましょう。

やがて、管絃のお道具も運び込まれ、澄んだ水がさざ波を立てております広い池の面《おもて》に、さまざまな楽の音が流れ始めました。舞台の御簾《みす》の中からご覧になっていらっしゃる院、女院、中宮の御前を、船は賑《にぎ》やかにすべって参ります。院方の朝臣の方々も、平氏の公達たちも、同じ船に乗って、それぞれ互いに気をつかっておられたと思いますが、それでも船内は一応なごやかなものでございました。

このあと、鞠《まり》あそびを初めとしまして、いろいろなお遊びがあり、夜は夜でお庭やお池のほとりに桂川《かつらがわ》の鵜飼師《うかいし》たちが篝火《かがりび》を焚《た》き、これまた美しいものでございました。

翌六日は後宴でございまして、寝殿のお飾りつけは改められ、女院、中宮、上西門院の打出の御衣も替えられました。この日のお遊びは午刻から始められ、女院の御堂である最勝光院の、竜頭鷁首《りようとうげきす》の船*六艘《そう》が設けられてある釣殿に、舞人や楽人が集りました。この日もわたくしたちは御行事を拝することはできませんでしたが、天皇が御笛をまたとないお見事さでお吹きになったということが、わたくしたちのところまでも伝ってまいりました。この日も維盛朝臣が青海波《せいがいは》*をお舞いになり、幸運にもそれを見ることができた女房の話に依りますと、御庭の砂子が春の陽に白く輝き、その上に桜の花びらが散り舞って、維盛卿の舞は一段とはえて清らかだったということでございました。

わたくしたちも三日間、毎日のように服装を替え、この前の女院の御堂供養《みどうくよう》の時に劣らず、それぞれが精いっぱいの工夫を凝らし、綺羅《きら》を飾ったものでございます。この御賀の三日間にわたった行事を見ておりますと、どなたもただ楽しそうに振舞っていらしったとしか申せないものでございました。院は公卿《くぎょう》朝臣のお遊びを御簾の内からずっとごらんになっていらっしゃったわけで、維盛卿の舞をお褒めになって、女院の御衣を賜ったりしておられましたが、今にして考えますと、あるいは院おひとりが、この時お遊びに興じてはいらっしゃらなかったのではないか、という気持にもなってまいります。

話は前後いたしますが、この御賀の前年に、八条の二位の尼の御堂供養がございました。八条の北、壬生《みぶ》の東の閑静な場所で堂名は光名心院でございます。院、女院、中宮の御三方がお成りになり、入道相国の娘御で高倉天皇の御母代りである白川どのもお見えになりました。二位の尼は女院の御姉君であらせられるとは言え、入道相国の室、臣下の者の御堂供養に法皇が臨幸になられたことはこれまでにないことだというとでございました。一時天皇の行幸もあると噂されましたが、それはお取りやめになったようでございます。

わたくしたちはこの時もいだし車でお供いたしました。女房たちは上からのお達しで、みな白い装束にいたしましたが、くるまに乗ってみて、それが青く塗られたくるまにようつるように工夫されたものであることを知りました。

入道相国、関白以下の公卿の方々、みな見えられまして、ご法要の程も、よく行き届いた立派なものでございましたが、女院の御堂供養に較《くら》べますと、どことなく気持のあがらぬものがございました。それと申しますのも、公卿廷臣の方々の中には、院、女院がこの御堂供養に臨幸遊ばされることは、たとえ院のお心から出たものであるにしても、入道相国としてはご辞退申し上ぐべきであったという考え方をする者がございまして、そうしたことは女院にお仕えしているわたくしたちの耳にははいりませんが、一般にはかなり広くあちこちで囁《ささや》かれていたようでございます。こうしたことがやはりこのご法要を何となく浮かないものにしていたのでございましょう。

院の五十歳の御賀のことがありました年の六月、わたくしは体をいためめ、お勤めを休ませて戴いて里へ帰っておりましたが、その間に、女院はお患《わずら》いになったのでございます。お傍の者がおくすりのことで騒いでいるとか、方々で御祈禱《きとう》が始まるとか、そういうことが耳にはいってまいりましたが、平生お元気な上、まだお年もお若くいらせられることなどからして、めったなことはあるまいと、すっかり安心していたのでございます。

わたくしはこの一、二年特にお目をかけて戴いて参りまして、女院のご病気が長びいていると聞くと、さすがに心配になり、冷泉殿《れいぜい》にご様子を伺ってみました。そのお返事に、本当に心配しているのでしょう、詳しく報《しら》せてやりなさいという女院のお言葉であった、というようなことが認《したた》められてありました。そんな冷泉殿からのお返事を読んでおりますと、そのようなことをおっしゃっている女院のお顔が目に見えるようでございました。

六月二十六日の夕方、御所にお見舞に伺いました。女院にはご病気のためお部屋をお替えになっておられ、東の台盤所というところへ参り、お取りつぎ願いますと、暫《しばら》くして女院のお声が聞えてまいりました。この頃御修法《みずほう》の人たちが泊るので、局《つぼね》もみんなふさがっていて、あなたに泊って貰《もら》うわけにはゆかぬ。あなたはせいぜい養生して、早くよくなり、よくなったらまた出て来ておくれ、そうおっしゃる女院のお声が平生と少しも変りませんでしたので、わたくしはすっかり安堵《あんど》して家へ帰ったのでございます。

あとで知ったことでございますが、お声こそ平常とお変りなかったのでございますが、その頃、女院のご容態は必ずしもよくなく、お顔も体もひどくお窶《やつ》れになっていらしったのでございます。背や腋《わき》にも腫物《はれもの》ができ、御針、御灸《きゆう》で、一つを癒《なお》すと、また一つできるといった有様でずっとお苦しみだったのでございます。御灸治についても、医師たちの間にそれぞれ考え方の違いがあり、言い争いが絶えなかったようでございます。

わたくしがお見舞に伺うより十日前に非常の赦を行うご沙汰《さた》もあり、院号、年官、年爵《ねんしゃく》、封戸《ふご》等を辞退遊ばされたそうでありますが、そうしたことも知らなかったとは、家に閉じ籠《こも》っていたとは言え、何と迂闊《うかつ》なことであったかと、あとで悔まれて悔まれてなりませんでした。御悩《ごのう》重いことを知っていたからと言って、女院のお言葉に対して、特に他のことを申し上げるわけでもございませぬが、それにしても自分の迂闊さが口惜しい限りでございました。

わたくしがお見舞に上がりました翌々日の二十八日に法勝寺において千僧御読経《どきょう》が行われたことを聞きました。このことを知らせてくれた人のお話では、高倉帝にはいまだに女院お見舞の行幸がないということでございました。関白基房卿が行幸あるべきことを度々申し出ますが、前大相国忠雅《ただまさ》卿＊が、主上ももとこのご病気があったので、御母女院の御患いを見せ参らすことはいかがかというご懸念《けねん》で、反対なさっているということでございました。

月が変りまして、七月七日、耐え難いほどひどく暑い日でございました。わたくしはこのところずっと気分のよい日が続いておりましたので、その日髪を洗いましたところ、それがさわったらしく気を喪《うしな》いそうになり、家の者たちが大騒ぎいたしました。そうしたことのあった翌日の八日、冷泉殿からお手紙があり、それにご危篤《きとく》でいらせられる、申し上げようもない、と、ただそれだけ認められてありました。この日酉《とり》ノ刻（午後六時）に女院は崩御遊ばされたのでございます。九日、家人に許されて御所に伺いましたが、御所の内部はしんとしており、日頃看病に当っていた人たちは疲れ果てて寝《やす》んでいるらしく、そこここに女房たちは集っておりましたが声を出す人もありませんでした。わたくしは心がふさがってすぐ御所を退出いたしました。

十日に女院のご葬礼が営まれました。人伝《ひとづ》てに聞いた話でございますが、ついに天皇は御母女院のご病気中行幸なく、その死を聞《きこ》し召された時、御衣をおかぶりになってお動きならず、お傍の者はそのお悲しみのご様子に眼を当てていることはできなかったということでございます。ご葬儀のあとも、主上は日を逐《お》って御悲しみが深くなり、いっさい御膳《ごぜん》をきこしめさないということでございました。

院のお悲しみはここに改めて申し上げるまでもないことでございましょう。度々ご病床をお見舞になっておられ、ご葬儀の日もひどくお窶れが目立っていたと洩《も》れ承っております。

四十九日のお忌《い》みの頃、御所に伺ってみたことがございます。お庭には萩《はぎ》、女郎花《おみなえし》などわがもの顔にはびこり、小さい花が縁の上にまで咲きこぼれているのを見るにつけましても、在りし日の女院の御事が偲《しの》ばれて、悲しみで心はふさがりました。露きゆるうき世にあきのをみなへしことしも知らぬいろぞ悲しき。この時の気持をそのまま書きつけたものでございます。こうしたことがありましてから、おみなえしというものが疎《うと》ましくなりましたが、考えてみますと、そのことさえも埒《らち》ないことに思われてまいります。

宮仕えのことをお話しせよとのことでこれまでお話しいたして参りましたが、宮仕えのことはさしてお話しせず、亡《な》き女院のこと許《ばか》り、女院お慕わしさから、それのみお話しして参りました。

わたくしの腹違いの姉で、幼い時からわたくしを母代りに面倒をみてくれております京極殿の夫、藤原成親《なりちか》どののことが世間を騒がせましたのは、女院がお亡くなりになりました翌年、治承《じしよう》元年のことでございます。

この事件*については改めて申し上げるまでもないことでございますが、わたくしたち一家の者にとりましては、容易ならぬことでございました。西光《さいこう》入道、俊寛僧都《しゆんかんそうず》といった人たちと一緒に、平氏を倒そうとひそかに企《たくら》んでいたという廉《かど》で義兄成親も捉《とら》えられたのでございます。西光法師はその夜のうちに生命《いのち》をおとされ、成親どのは重盛卿の取りなしで*死罪を免れ、備前の国に流されました。そして俊寛僧都を初めとしまして、中原基兼《もとかね》、平佐行《すけゆき》、平康頼《やすより》、惟宗信房《これむねののぶふさ》といった院の近臣の方々は官をうばわれ、流罪《るざい》に処せられました。成親どのは配所に着くとすぐ喪われ、西光法師の子師高《もろたか》、師経《もろつね》のお二人も尾張の配所で斬《き》られたということを聞いております。義兄成親についても思い当ることがあるとすれば、何事も時期が来るまでは、とよくそのようなことを口走っていたことでございます。

この事件は六月一日のことでございますが、翌日から院の御所には入道相国のお怒りを恐れて誰一人出仕する者はなかったと言われております。わたくしは二位の尼の御堂供養の時、ご法要の儀式が終ったあと、入道相国が錦に包んだ院への御贈物を院の御簾前《みすまえ》にお持ちになって行かれるのを、飾りぐるまの中で遠くから見させて戴《いただ》いたことがありましたが、入道相国には世の人が噂《うわさ》するような傲慢《ごうまん》なところも怖《おそ》ろしいところもなく、そこに居合せた僧の誰よりもっと僧らしく、落着いて、物静かな感じでございました。

この御簾の内と外で、お二方の間にどのようなお言葉が交されたか知る由《よし》もございませんが、お二方とも、あるいは義兄成親のように心の中では、お互いに、時期が来るまで、と、そのようなことをお思いになっていらしたかも知れないという気がいたします。根も葉もないわたくしひとりの当て推量ではございますが、御簾をまん中にしてお向い合いになっていたお二人を遠くから拝した時のことを思い出しますと、そのようにでも言う以外仕方ないものがあるように思われます。世がこのようになりましたのは、その時期というものが参ったためでございましょう。女院が崩御遊ばされたことで、お二人の前にふいにその時期は参ったのでございます。

このように申しますのも、女院崩御を境といたしまして、急に院と福原の御間柄は張り詰めたものになり、成親どのの事件とか、院方の近臣公卿三十九名の方がお役を解かれた事件とか、果ては院が鳥羽殿にお囚《とら》われになる事件*とか、次々に信じられぬような事が押し寄せて来るようになったからでございます。どういうわけで世の中がこのようなことになったか、わたくし共には何も判《わか》らないことでございますが、わたくしがわたくしなりに考えますことは、女院が崩御遊ばされたことで、それまで世の鎮《しず》めとなっていた重しのようなものが失《な》くなってしまったのではないかという気がいたします。女院さえ、いまもお健《すこ》やかでいらせられたなら、院も福原もあのようなことにはならず、院もお心の中ではどのようなことをお考えになっていらしったとしましても、御簾を挟んで入道相国と笑顔でお向い合いになっていた時期が続いたことであろうと思います。

こうした中で、昨治承二年の秋、高倉天皇に皇子が誕生遊ばされたことは、何と申しましても、明るいことでございます。女院ご在世ならばどのようにお悦《よろこ》びであったことでございましょう。皇子のご誕生の折、院もお傍についておられ、ご安産を祈禱《きとう》遊ばされたと洩れ承っておりますが、院の福原に対するお含みも解け、入道相国のお心の荒ぶれも鎮まったのでございましょうか。それにつきましても、皇子ご誕生のことは、平氏御一門にとっては大きいお力でございます。このへんでお話をやめさせて戴きましょう。お話を続けておりますと、院と入道相国がお向い合いになっていらっしゃる有様が眼に浮かんで参りまして、何と申しましょうか、言い知れぬ不安な思いに心はおののいて参ります。何はともあれ、女院のおわしまさぬ世に生きて参りますわたくしは、さしたる望みもございませぬが、ただもう再び世が騒がしくならぬように祈る許りでございます。

第三部

昨日改元の事を議し、元暦《げんりやく》二年を改めて文治《ぶんじ》元年と為《な》す決定を見たことについて、今日蔵人所《くろうどどころ》から通知があった。去月九日の大地震以来、一箇月余を経た今日に到《いた》るもなお余震やまず、ためにこの事があったわけである。改元の議に立合われたのは、堀川大納言《だいなごん》（忠親《ただちか》）、別当（家通《いえみち》）、大宮中納言（実宗《さねむね》）、左兵衛督《さひょうえのかみ》（頼実《よりざね》）、藤中納言（定《さだ》能《よし》）、藤宰相（雅長）、平宰相（親宗《ちかむね》）、新宰相中将（通資《みちすけ》）といった方々で、御評議は申《さる》ノ初刻（午後三時）に始まり、戌《いぬ》ノ刻（午後八時）に及んだ。

儒士たちに依《よ》って上申された年号は、文治、禎祥、仁宝、貞和、仁治、応暦、保貞、顕嘉、万安、建久等であったが、平宰相が仁宝を、藤宰相が万安を採られたほかは、みな建久と文治をとり、一時は建久に決まりかけたが、結局は特に大きな難点がないということで文治が撰《えら》ばれたとのことであった。余も職掌柄《がら》評議の席に顔を列《つら》ねていなければならなかったが、所労のために臥床《がしょう》、ついに不参の已《や》むなきに到った。だが、文治と決定したことはわが意を得たことである。『礼記《らいき》』＊に、湯《トウ》ハ寛ヲ以テ民ヲ治メ、文王ハ文ヲ以テ治ム、とある。左大弁兼光卿《かねみつきよう》＊の撰申《せんしん》せしものと聞いたが、恐らく『礼記』に依ったものと思われる。近年武が天下を平らげ、武が天下を覆《おお》いつくしている。この秋《とき》に当って、文を以て天下を治むと政《まつりごと》の拠《よ》るところを闡明《せんめい》するは、院の御心にも添い奉《たてまつ》ることと信ずる。先頃《さきごろ》より今日八月十五日の午刻に大動ありとの流言行われ、院中も騒ぎ、市中でも避難する者多いと聞いたが、幸に大動は愚か微震ひとつない一日であった。改元のためかそれは知らぬが、兎《と》も角《かく》このために人の気持の改まるのは結構なことだと思う。

余自身、昨日の改元の議に出席できなかったので口幅ったいことは申せぬが、左内両府は当日になって俄《にわ》かに所労を申し立てて不参、近年出仕されることのない右府兼実《かねざね》卿の如《ごと》きは論外として、重臣が揃《そろ》って国の大事を議する席に顔を見せないということは、実に歎《なげ》かわしいことと言わねばならぬ。

鹿《しし》ヶ谷《たに》事件以後、この数年間、天下は一日として平安な日はなく、絶間なく揺れ動いている。以仁王《もちひとおう》の変、相国《しようごく》＊入道の逝去《せいきよ》、平家一門の西走、木曾《きそ》殿（義仲《よしなか》）の上洛《じようらく》、木曾殿の敗死、――地震に依る大地の揺れは日を追って次第に静まりつつあるが、未《み》曾《ぞう》有の混乱を惹《ひ》き起している武門の争いがどのような落着を見せるか、人智《じんち》では計り知り難いもののあるのを感ずる。常に源平両氏確執の間にいまして、院には御心の安んじられる暇《いとま》もなく、拝察すれば畏《おそ》れ多い極みである。安徳帝は平氏と共に西に移られ、代って後鳥羽《ごとば》帝が即位遊ばされたが、両帝が在《お》わすことも、曾《かつ》てこの国の歴史には見ざることである。

こうした秋に当って、政をお預りしている朝臣《あそん》たちの間に、院にお近付き申し上げることを避ける風潮があることは、いかにしても許し難いことに思われる。これからどのような時代が来るか判らない、迂潤《うかつ》に国政に参画するよりは、暫《しば》らく院にお近付きしないでいて、時代の落着くのを待つ方が賢明だという保身の術から出ているのは言うまでもないこと。院にお近付き申し上げないのみか、更に院の武門に対するご措置に、とやこうあげつらうことあるが如きは、まさに言語道断と言うべきである。そうした輩《やから》は二言目には口に出す。院は確としたお考えを持たれず、頼朝《よりとも》追討の院宣を平氏に降《くだ》されたかと思うと、次には平氏追討の院宣を源氏に降される。*義仲入洛すれば義仲と手を握られ、義仲の勢強くなると、義仲を厚く遇し、四囲の情勢が義仲に不利となると、義仲追討の院宣を出される。そのようなことのために朝廷の威信は地に堕《お》ち、武家の跳梁《ちょうりょう》をほしいままにする結果を招いている、と。確かにその御振舞を後日になって見奉ると、そのように受取られることが多いかも知れぬが、そのようなご措置に出られる院の御心というものは、院にお近付き申し上げることを避けるような輩に判ろう筈《はず》のものではない。余に言わせれば、院のご英邁《えいまい》な措置に依ってこそ、朝廷のご威信は兎も角今日あるを得ているのである。

聞くところに依ると、今明日に除目《じもく》*のことがあり、別当家通卿、左大弁兼光卿の勘案に依ってこれを行うと。これが発表をみると、源氏の所領が何カ国かに及んでいることで、口さがない公卿《くぎよう》たちはまたいろいろと蔭口《かげぐち》をきくことであろうと思う。そうした連中に限って、裏では源氏一門の隆盛を見越して、源氏に縁故を求めて近付いて行こうとする。笑止な沙汰《さた》である。

今宵《こよい》、そなたたちの参集を乞《こ》うたのは余の儀ではない。いま申したような朝臣の一部の者の間で囁《ささや》かれている院のご措置に対する批判が、時に下々の者の間に於《お》いても亦《また》行われるのを耳にするからである。

余は長く蔵人として、また院の執事として、後白河院にお仕えし、養和元年には参議*に任じ、従三位《じゆさんみ》に叙され、昨年はまたさして功もないのに権《ごん》中納言のご沙汰を拝している。父吉田光房《よしだみつふさ》は右中弁、祖父吉田為隆《ためたか》は右大弁に止《とど》まったのに思いを致すと、余、経房《つねふさ》は破格の恩寵《おんちよう》に浴しているわけで、院のご恩は片時も忘れることはできない。

つらつら惟《おも》うにさして典故にも通ぜず、吏務にも練達しておらぬにも拘《かかわ》らず、このような院のご恩寵を忝《かたじけの》うすることのできたのは、ただ何事にも私心を持たぬという一事のためであろうと思われる。亡《な》き入道相国に対して阿附《あふ》の言を口にしたこともなければ、諮詢《しじゅん》に応じて思うことを曲げて上奏したこともない。そうした節操だけは持っているつもりである。

院の執事として院のお傍へ侍《はべ》ること多く、従って廟堂《びょうどう》の評議、院内覆奏の諸事を見聞する機会に恵まれ、宣旨《せんじ》院宣*の草案の筆を執ったことも一再ではない。このようなことを申すのも、かりそめにもそれを誇りとする心あってのことではない。多年院のお傍に仕え、畏れ多いことではあるが、院の御心を体して、それを筆に載せることもあって、ために院の御ひととなりや、お考えの動き方については、誰よりもよく存じ上げているということを言いたかったまでである。

院の御心がどのようなものであるかも知ることなく、保身のために出仕を怠り、ただ遠くから院のなさることに対していちいち言《こと》あげするが如き輩に対して、右府兼実卿の如きはその最たる者であるが、経房は倶《とも》に天を戴《いただ》くを潔《いさぎよ》しとしないほどの憤《いきどお》りを覚える。

前々から一度、この数年間の変転極りない時勢の動きに対して、院がどのようなお考えを持たれ、どのように振舞われたかを、そなたたちに知らせる機《おり》を持ちたいと思っていた。たまたまこの度改元のことあって、誰もが新しい気持で、世の混乱を鎮めるように努めなければならぬ秋になったと信ずる。今日の勝者が明日の勝者でないことは、木曾冠者《きそのかんじゃ》義仲の例でも明らかであるが、これは木曾殿だけのことではない。いつ誰がどのような運命を迎えるか、明日という日のことは全く判っていない。こうした時に於《お》いて誤りなく身を処して行くことは容易なことではない。勝者におもねり、権力に媚《こ》びるような愚なことをしても始まらぬ。院の御心がどのようなものであるかを知り、院に対するご奉公の心を固める一事あるのみである。世は文を以て治めねばならぬ。武断の政はどのようなことがあっても排さなければならぬ。はっきり申すと、院はそのようなことをなさるために、お生まれ遊ばされてきた方と申し上げていいかと思う。

西光《さいこう》入道、俊寛僧都《しゅんかんそうず》、藤原成親《なりちか》といった人たちが、ひそかに平氏を倒そうと企《たくら》んでいた廉《かど》で捉《とら》えられ、その余波で中原基兼《もとかね》、平佐行《すけゆき》、平康頼《やすより》、惟宗信房《これむねののぶふさ》といった院の近臣の面々が官を奪われ、流罪《るざい》に処せられた事件は、ついこの間のことに思われるが、治承元年のことであるから、もう八年程前のことになる。院の御寵愛深かった建春門院が他界遊ばされた翌年のことである。

この事件を発端として、時代は次第に荒々しいものに変って、今日見るような仕儀に相成ったが、この八年間における一番大きい変り方は、いまは院がその事件にご関係をお持ちだったということを口に出せることである。当時はそのようなことを口走ることは夢にも考えられぬことであった。西光入道等は時折俊寛僧都の鹿ヶ谷の山荘に集って謀議を凝らしたが、その席へ院もおしのびで御幸《ごこう》になったということを、最近ある者から聞いた。余はそれを聞いて、さして驚くことはなかった。誰から聞かなくても、院がそのように遊ばされたであろうことははっきりしている。院のご承知なしにそのようなことが企まれる筈はなかった。余許《ばか》りでなく、院にお仕えしていた朝臣の多くの者は、口にこそ出さないが、同じような考えを持っていたことと思う。院方の朝臣許りでなく、入道相国も、それを取巻く平氏一門の者も、やはり同じ見方をしていたのではないかと思う。そうした見方はしていても、いささかもそれには触れないで、事件に関係を持った者だけを処分し、そして事件とは直接関係はないが、院方の勢力となっていた近臣の者たちをその機を逸せずいっきに院から遠ざけてしまった入道相国のやり方も、いまとなってみると、なかなか水際《みずぎわ》だったものと言うほかはない。

院が入道相国を頭領とする平氏一門を倒そうというお考えをお持ちになったのは、

恐らく入道相国が太政大臣《だじよう》になった仁安の頃からではないかと思う。きのうまで武士であった者が急に公卿の列にのし上がり、しかも国の政に容喙《ようかい》できる地位を占めた時、院はいつかこの人物を倒さねばならぬというお考えをお持ちになったのである。入道相国をこのようにお引き上げになったのは、他《ほか》ならぬ院ご自身であらせられたが、それにはそうせざるを得ない時の勢というものがあった。人間にはそれぞれ時々に持つ勢というものがあって、院は入道相国をお引き上げにならざるを得なくてお引き上げになり、その勢が衰えを見せる時の来るまで、お待ちになろうとなさった。ただ入道相国の勢はその後容易に衰えを見せず、相国の息女徳子姫の入内《じゆだい》、公卿十六人、殿上人三十余人という平氏一門の異常な栄達、その権勢、その栄耀《えいよう》栄華、院としてはそのどの一つに対しても手を拱《こまね》いておられる以外仕方なかったのである。

院が西光法師の事件にご関係になったのは、入道相国の持つ勢が、その頃になって漸く《ようや》衰えの兆《きざ》しを見せ始めたからであった。こうしたことをご覧になる院の御眼はわれわれの遠く及ばぬ鋭いものを持っておられる。辛抱強くそうした時の来るのをお待ちになる代りに、ひと度相手に隙《すき》ができたとなると、常人の及ばぬ素早さで相手をお仕留めになろうとなさる。西光法師の事件が起る三、四年前から院と入道相国との間には明らかに対立関係と言っていいものが生じていたが、それは院が平氏を憎む近臣ってていたとしても、微塵《みじん》もおもてにはお出しになってはいられなかったと思う。西光法師の事件は平氏へ内通する者ができたことで失敗し、このために院の近臣の多くはのぞかれた。急に院のご身辺は閑散としたものになってしまった。その翌年、安徳帝がご誕生になったが、それに先き立って、院には度々おしのびで御幸になり、その度に中宮の枕許《まくらもと》で安産のご祈禱《きとう》を遊ばされ、ご誕生当日の如きはご自身で産室におはいりになって、集まっている僧侶《そうりょ》たちをも励まして大いに誦経《ずきょう》せしめたと承っている。院は入道相国に対して西光法師等の事件の失策をお埋めになるために、これだけのことをなさらなければならなかったのである。

皇子ご誕生の折、入道相国が院に御礼の意味で砂金、富士綿各一千両を献じたところ、院はお怒りになって、自分は修験者《しゅげんじゃ》になっても生活を立てることができるとのたまわれたということが巷間《こうかん》に伝えられているが、これは院の御ひととなりを存じ上げぬ者の作り話であると言うほかない。院はもっと慎重であらせられ、かりそめにも御自分が敵となさっている入道相国に対して、そのような露《あら》わな反感は、よしや、それをお感じになっていたとしても、お示しになることはない筈である。入道相国から御礼の贈物があれば、御嘉納《ごかのう》になったとしか思われぬ。

安徳帝ご誕生の翌治承三年五月に内大臣重盛卿は不食《ふじき》の病に患《かか》られて出家、八月一日にはお亡くなりになるという事態が起ったが、入道相国にとっても、平家一門にとっても、これほど大きな痛手はなかった。院はこんどこそ間違いなく平氏の衰亡が現れたことを見てとられたに違いないが、併《しか》し、その年十一月、入道相国を激怒させ数千騎の兵を率いて入京させた事件は、院ご自身の与《あずか》り知らぬことであったと思う。重盛卿の知行国の越前《えちぜん》国が入道相国に相談なしに没収されたり、また入道相国の奏請を無視して摂政《せつしよう》基房卿の子、八歳の師家《もろいえ》卿を従三位中納言に叙したりしたことは、院の近臣たちが勝手に謀《はか》ったことである。院ご自身の承認がなければこのようなことはできぬわけで、その意味では院がご存じないとは申し上げられぬが、それにしても、それが具体的な形をとって現れるに到ったのは、院が近臣たちの心傲《こころおご》りを押えかねてのことであったと見るべきである。

院は近臣の者に眼をおかけになり、何かとお労《いたわ》りになるが、いつもそうした近臣の者たちのすることでご迷惑をお受けになっておられる。院が御自分のお考えになっておられることを近臣の者たちにお洩《も》らしになれば、近臣の者たちも院のお心を体して、院のお心に違《たが》うようなことは仕出かさないに違いないが、院は決してそのようなことはなさらない。どのようなお考えもご自分の心の奥深くにお仕舞いになっておられ、どのような者にも、そこだけはお覗《のぞ》かせにならない。院は今は亡き建春門院を殊更《ことさら》ご寵愛になっておられ、御愛情のほどははたで見る眼も羨《うらやま》しいほどであったが、その女院《にょういん》にさえ、決して心の奥に仕舞われてあったものはお見せにならなかったと思う。女院に対しても、そのようであったから、ましてほかの者に、ご自分のお考えをお洩らしになるようなことのあろう筈はないのである。そのようにご慎重であればこそ、保元、平治の二つの乱をお切り抜けになり、ご自分の前に立ちはだかる壁を次々にお払いのけになることができたのである。

院は時が来るのをいつまでも辛抱強くお待ちになることができるお方である。安徳帝誕生の砌《みぎ》り、中宮の産院にまでおはいりになり、入道相国と共に皇子誕生を祈念なされ、皇子の誕生をみるや、入道相国と共にそのお慶《よろこ》びを共にされたが、そうしたことをなさったのも、その底にお待ちになろうというお気持がおありになったればこそである。院がその時々で、入道相国にお近付きになったり、そこからお離れになったりすることを取り上げて、院に対して兎角の評をなす者があるが、そのような者に院がどのようなお方であるか判《わか》ろう筈はない。

また、入道相国が院に対して少しでも強く対し奉《たてまつ》ると、院は入道相国に対してお弱くなり、入道相国が笑顔をお見せになると、反対に院はどこまでも高飛車にお出になる。そのように院のお人柄を解し奉る向きもあるが、これ亦誰もが犯し易《やす》い間違いである。院はそのようなお人柄ではない。未《いま》だ曾て一度も、入道相国の面《おもて》を窺《うかが》って、ご自分の態度をお決めになったことはない。院ご自身が強くお出になったり、反対に優しくお出になったりするのであって、それに対して、その時々で自分の構えを変えるのは入道相国の方であった。院は常に冷静に入道相国をお見守りになっておられた。平氏にあらざれば人でないといった平氏一門の者にこの世でただ一つ怖《おそ》ろしいものがあったとすれば、それは院のあの御眼であった筈である。

女院は院のあの御眼に見入られて早くお亡くなりになったのであり、内府重盛卿《きょう》も亦、院の御眼に耐えかねて、不食の患《わずら》いに罹《かか》られたのである。入道相国が平氏一門にとって最も大切な秋《とき》に亡くなられたのも、これも亦院の御眼に太刀打ちができなかったためである。余はそのように考えている。

その院の御眼が一番澄んでおられたのは、治承三年から四年へかけての一時期で重盛卿他界から間もない頃であった。入道相国の持つ勢といったものに冷んやりした影が射《さ》し出した時、院は御自分の手を出そうか出すまいか丹念にお考えになりながらじっとお見詰めになっていたものがあった。それはほかでもない。源頼政《よりまさ》卿と、その周辺の者たちの動きである。頼政卿の息仲綱《なかつな》、兼綱《かねつな》、それに新宮十郎義盛等がひそかに何かを企てているのではないかといった気配は、院にもお判りにならぬ筈《はず》はなかった。ただ院はこの前の西光法師の場合の轍《てつ》を踏まぬようにと、ひたすら慎重であらせられた。もちろん院は御子以仁王《もちひとおう》がこの企てに御関係になっておられることはご存じなかったと思う。そこまではご存じなかったにしても、平氏に対して反感を懐《いだ》いている者たちが、ただならぬ動きを見せているということは見てとっておられ、それに御自身が関《かか》わって行くべきか、あるいはもう暫《しばら》くそ知らぬ顔をして押し通しているべきか、そのへんのところを六波羅の方の情勢とお較《くら》べになりながら、じっとお見守りになっていらしったのである。

一方、相国入道も亦《また》こうした院方の一部の動きに気付かない筈はなかった。気付いていればこそいよいよという時になって、新宮十郎義盛を捕えたというただそれだけのことで、事件の全貌《ぜんぼう》を露《あら》わにして、それに対して未然に手を打つことができたのである。それは兎《と》も角《かく》として、以仁王がご関係になっていることを、院がご存じなかったように、入道相国も亦事件の首謀者が源頼政であることは知らなかった。入道相国は恐らく院がお動きになるまではさしたることもないという見通しを立て、院のご動静のみを索《さぐ》っていたのであろうが、院は院で、この度はなかなかお動きにならなかった。こうしたそれぞれの構え方をしている院と入道相国を置きざりにして、頼政卿とその一党は全く別のところで勝手に事を挙げようとしていたのである。これが頼政の事件に対する、さして間違いのない見方というものであろうと思う。

五月十日、事件の発覚と共に、相国入道は兵を率いて入京し、院を鳥羽殿から八条烏丸《からすまる》の御所へお移し申し上げた。それ以後のことは、誰もが知っている通りである。以仁王と頼政卿は園城寺《おんじようじ》へはいり、一時は六波羅へ夜討をかけるという噂《うわさ》が立つ程の勢であったが、寺院側の態度が怪しくなり、そこを出て南都へ向う途中、頼政卿は討死し、以仁王も流矢に中《あた》って亡くなられるという結果になったのである。

この頼政の変で、相国入道が受けた最も大きい痛手は、この事件に院がご関係になっていなかったということであったに違いない。これまで反平氏の動きは尽《ことごと》く院を中心にして起っており、院さえ監視申し上げていたら、どのような物騒な動きに対しても、いかようにも手を打つことができると見られていたが、この事件で、院とは全く無関係に平氏を倒そうと望んでいる者があるということを思い知らされねばならなかった。これは相国入道許りでなく、平氏一門のすべての者にとっても、その魂を冷やすに足る事件であったのである。

院はこの事件に対して終始冷静であらせられたが、この事件の後も、終始冷静であらせられた。少しも無理をなさらないでも、次第に時勢は御自分が望むように動いて来るということをお知りになったからである。これに反して相国入道の方は、そのすること為《な》すことに、はっきりとあせりが見え始めて来た。突然福原へ都を移すというようなことを言い出したのも、こうしたあせりの最もはっきりした例と見ていい。院はこうした相国入道の異常としか思われぬ発議に少しもお逆らいにならなかった。どこへでも、行けというところへついて行くという態度をお採りになっていらしった。

　院が福原へお移りになったのは六月二日のことである。福原へ移った朝臣公卿たちは、もうこれでこの世が終ってしまうような歎《なげ》き方をして、顔を合せれば不平不満の言葉を口から洩らしていたが、余が知る限りでは、院が一番お静かであった。何の不平もお洩らしにならず、何の不満もお述べにならなかった。

　この遷都《せんと》にはいろいろ無理が重なっていたので、さすがの相国入道もこれを押し切るわけには行かなくなり、僅《わず》か半歳《とし》足らずの日子で、十一月二十二日には新都を棄《す》て、再び京へ還《かえ》る仕儀に相なった。福原遷都は、誰の眼にも明らかに相国入道の大きな失策であった。そしてこれに前後して、東国に於《おい》て各所に源氏が蜂起《ほうき》しつつあるという報が次々に報じられて来た。南都堂衆の動きにも棄てておけないものがあった。平氏が、事もあろうに東大寺を焼き、興福寺を焼くような血迷ったことを敢《あ》えてしたのも眼に見えぬ敵の影に怯《おび》えたからで、福原遷都の大きい失敗の上に更に新しい失敗を重ねたものであった。この頃の院は長くおかかりになっていた今様《いまよう》に関しての仕事に専念遊ばされていて、めったに人にはお会いにならなかった。誰に会わなくても、何を相談しなくても、時代は自分の思うように動いて来る、そういったお気持がおありになったと思う。

話は前後するが、高倉帝が御位を皇太子にお譲り遊ばしたのは、治承四年の二月のこと、御位をお退きになった高倉帝は二十歳、新帝安徳天皇は三歳であらせられた。

高倉帝のご譲位はご健康が勝《すぐ》れないためであったが、ご健康の問題とは別に、それをお望みになるお気持もおありになったに違いないと思う。院と入道相国の間にお挟まれになって、高倉帝のお立場がいかにお苦しいものであったかは、誰にも拝察できるところである。高倉帝の御母は亡《な》き建春門院であらせられ、平氏の血をご自身がお持ちになっておられる上に、中宮は相国入道の娘御でいらせられ、その間に安徳帝がお生まれになっているのである。従って、御父後白河院と、御義父入道の間にお立ちになっている帝の御立場というものは頗《すこぶ》る微妙なものであった。帝のご譲位には御義父相国入道の、御父後白河院に対する心の尖《とが》りをお消しになるためのお考えがあってのことではなかったかと思う。その御心の内を拝察すると、そのご苦悩のほどがひしひしとこちらの胸にも伝わって来るような気がする。このような高倉帝のご配慮にも拘《かかわ》らず、ご譲位後幾許《いくばく》もなくして、頼政の変が起ったのである。福原にお移りになっていらっしゃる間に、高倉帝のご病状はすすみ、日増しにお体の衰えが見え出される頃、京へお帰りになられたのであるが、ついに翌養和元年正月に六波羅池殿《いけどの》において崩じられた。

そして高倉帝がお亡くなりになってから幾許もなくして、こんどは相国入道の他界という非運が平氏を見舞った。時恰《あたか》も、源氏が四方に蜂起し、その勢が日々強大になりつつあるという報が朝に夕に都に報じられて来る時で、入道としては死んでも死に切れぬ気持であったろうと思う。

相国入道の死は閏《うるう》二月四日であったが、前日の三日の朝に、愚僧早世の後は万事宗盛《むねもり》に仰《おお》せつけになり、何事もよく心を合せてお計りになって事を取り行うようにということを、入道は円実法眼《ほうげん》を以《もっ》て院に奏した。院はこれに対してはかばかしいお返事はお与えにならなかった。すると相国入道は枕頭《ちんとう》に侍《はべ》る者に天下の事はみなの者が相談の上取りしきるように、東国の乱許《ばか》りでなく、都における足許《あしもと》の乱も気を付けるようにという遺言をしたと伝えられている。

相国入道のこうした臨終の模様をお聞きになった院は、少しお顔の色を変えられただけで、何事もおっしゃらなかった、と洩れ承っている。臨終の相国入道にお返事をなさらなかった院の御態度を、兎や角申す者もあるかも知れないが、院は相国入道の死がこのような時期に、このように突然やって来るものとはお思いでなかったに違いない。それにしても、はっきり申せば、それは長い間お求めになって来たもの、院としては、相手が悦《よろこ》んで眼を閉じるようないかなる言葉もお口になさる気にはおなりにならなかったのである。

院は、相国入道が亡くなったことでほっとなさるお気持はあったにしても、この時から急にお忙しくなられたのである。今様に関するお仕事はぴたりと打ち切られ、朝臣たちをお集めになり、都にいる平氏と、地方に蜂起している源氏との争がどのような結末を見せるか、それぞれに意見をお問いになる日が続いた。また地方における源氏と平氏との争いが、その頃はまだ小競合《こぜりあ》いの程度に過ぎないものではあったが、兎も角、そうしたことに対する報《しら》せを熱心にお聞きになった。

朝臣の中には平氏の流れをくむ者が多く、源氏の乱は間もなく平定されるに違いないという意見が多いのは当然であるが、そうした意見をお聞きになると、誰の眼にも判る安堵《あんど》のお顔をお見せになった。今にして思うと、心の底にお持ちになっていたお気持がお顔に出たのであるか、あるいはその反対であるか、確《しか》とは判りかねるものがあるが、兎も角、院はその頃、そのような態度をお示しになっていらしったのである。

蜂起している源氏に対して賊軍という呼び方をなされたことは申すまでもないことである。

平氏の勢威が西に傾きつつあるとは言え、当時の朝臣公卿は一人残らず、まだ平氏の力に依《よ》って地方の乱が鎮《しず》まることを望んでおり、そうなることを信じてもいた。だが、これもいまになって言うことであるが、そうした中において、院お一人だけが違ったお気持を心の底に匿《かく》し持っていらしたかも知れないのである。

院から頼朝追討の最初の宣旨を草するようにという御沙汰《ごさた》を賜ったのは、相国入道在世の治承四年十一月七日のことであった。頼朝が旗上げして間もない頃で、朝廷では評議の上、取り敢《あ》えず、伊豆《いず》国の住人頼朝の叛乱《はんらん》事件として、これを措置することになったのである。蔵人頭《くろうどのとう》として当然余が受持つべきことであるが、院は、その時、追討の宣旨や院宣を、今後度々草して貰《もら》わねばならぬというようなことを、お笑いに紛れておっしゃった。その時は、そのお言葉を深い意味では考えず、何か不分明なところのあるままに承っていたのであるが、それから今日までに、余は院のお言葉通り、度々宣旨院宣を草することになったのである。平氏に降《くだ》された頼朝追討の院宣、平氏に対して降された義仲追討の院宣、あるいはまた義仲に対して降された頼朝追討の院宣、はては頼朝に降された義仲追討の院宣等々、院のお言葉通り、沢山の宣旨院宣を草して来た。そしてその都度、最後に、〝蔵人頭左中弁藤原経房奉〟という十一字の文字を記した。この十一字の文字を記す度に、余は院の謎《なぞ》のようなお言葉を思い浮かべたものである。

治承五年は正月十四日に高倉帝が崩御遊ばされ、続いて閏二月四日に相国入道が他界、七月十四日に年号は養和と改まった。大嘗会《だいじょうえ》以前の改元はその例珍しいことであったが、天下が大きく揺れ動き、天変地異が相次いで起っていたので、改元を早めるに到《いた》ったのである。この年から翌二年へかけては、誰もが知っているように農作物は未曾有《みぞう》の不作で、ために諸国からの運上は停って、京の巷々《ちまたちまた》には餓死者が溢《あふ》れた。兵乱のために農耕ができず、それに加えて洪水と干魃《かんばつ》が襲い、東国、北国、西海、いずれの地方も多くの流民を出した。

諸国がこのような状態だったので、糧食を地方に依存している都は宛《さなが》ら地獄だった。夜々強盗、所々放火、餓死者は日々その数を増した。諸院の蔵人を称する輩《ともがら》多く餓死し、それ以下の者に到ってはその数を知らなかった。養和二年の二月に、仁和寺《にんなじ》の法師が巷々に倒れている死者の首に阿字を書いて供養《くよう》して歩いたが、その数は四万二千三百に上ったと伝えられた。

二月から三月へかけての時期が一番餓死者も多く、治安も乱れていた。亡き小松内府の室の侍宅で、右中弁光雅朝臣《みつまさあそん》が借りていた三条坊門高倉の第も夜半出火して焼失し、同じく三条高倉の女御殿御所《にようごごしよ》も焼亡したが、いずれも群盗の所為であった。御所や公卿朝臣の家がこのような有様であったので、一般の民家で全き姿で残るところ十中二、三に過ぎないと言ってよかった。*

三条高倉の女御殿御所の焼亡したのは二月二十一日のことであったが、その翌二十二日、ある者御所へお見舞の帰途五条河原を通って、十二、三歳の童《わらんべ》が死人の肉を食するのを見たということであった。またその翌日の二十三日には、四条室町の亡き成親卿の旧宅に群盗乱入し、侍一人が盗賊の放った矢に中《あた》って死んだ事件が起っている。余はその頃の日録に、〃道路ニ死骸《シガイ》充満セルホカ、他事ナシ〃と認《したた》めたことあるを憶《おぼ》えている。

三月二十二日には、盗賊が御所に忍び込み、昼御座《ひのござ》の御剣と御帳を盗み去るという信ずべからざる事件さえ起り、二十九日には院の家司《けいし》が強盗のために殺害されるという事件もあった。

この年五月二十七日、再び改元のことあって、左大将上卿《しようけい》、公卿七、八人参内し、俊経卿《としつね》が択《えら》び申された寿永《じゆえい》が用いられることになった。飢饉《ききん》、兵革、病事の三つが重なったための改元であった。この改元についても、蔭《かげ》で物の用には叶《かな》うべからずというような兎角の評を為す者もあったが、国家未曾有の艱難《かんなん》を他人事視している輩《やから》こそ物の用には立たぬ小人共と言うべきであろう。

治承、養和、寿永と慌《あわただ》しく年号が代った二年間は、飢饉のために多くの餓死者を出し、治安は乱れに乱れ、都には空屋のみ残され、その空屋も焼かれたり壊されたりして、京の街は見る影もない有様となったが、併《しか》し、また一方では、この飢饉のお蔭で一時今にも都へ攻め上って来そうに思われた諸国の源氏の動きは抑えられていたのである。

この年九月、入道相国亡きあと平氏一門を統《す》べている宗盛卿は大納言に進み、内大臣を拝した。新内府は西海北陸二道に兵糧米《ひょうろうまい》を課し、畿内《きない》、山陰、山陽、南海、西海諸道から兵を徴し、以て源氏に備えようとしたが、これは明らかに誰の眼にも失政であった。また、入道相国が焼き払った東大寺、興福寺の再建を計ったのはいいとして、これがために三十五カ国に課役を命じたことは、徒《いたず》らに天下の民の怨嗟《えんさ》の的となるに到った。こうしたことをお許しになったことに対して、また院を非難申し上げる向きもあるが、院はこの頃既に平氏の運命をお見限りになっていらっしゃったのである。

九月十四日に、院は追討使を停《とど》む院宣をお出しになっておられるが、これこそ院がそれとなく御心の内を諸国の源氏に対してお示しになった最初のものと言っていいであろう。またこうした時期に藤原俊成《しゅんぜい》をして和歌集*を撰《えら》ばしめるようなことに意をお用いになっておられ、これまた一部の者から兎や角言われる種になったが、追討使を停む院宣ではついとご自分を前にお出しになり、和歌集のことでは反対にご自分をあとにお引きになっておられるのであって、いかにも院らしいご用心深さと申し上げるほかなく、こうしたことからもはっきりと、院が平氏一門の明日を予見遊ばされておられたことが判《わか》ろうというものである。

この時期、院は六波羅に対しては極めて慎重であらせられた。亡き相国入道に対してよりも、宗盛卿に対する方が、一層慎重であらせられたと言っていい。事々に民心を失う失政を重ねて、窮地に追い込まれている六波羅が、いかなる暴挙に出ないものでもなかったので、院は慎重であらせられたのである。諸国の追討使を停む院宣をお出しになったのも、飢饉のために源氏が兵を動かすことができず、それが六波羅に幸《さいわい》している時だったので、院は六波羅の心をお読みになった上でお謀《はか》りになったことである。六波羅としては、源氏を宥《なだ》める一時的な方便であったが、院としては、その六波羅の一時的方便を利用遊ばされて、平氏に代る次の権力者にそれとなく御心の内をお示しになったのである。

また和歌集編纂《へんさん》の院宣をお出しになったことについて、改元までもしなければならぬ非常の時、和歌集編纂でもあるまいという見方をされるのは当然であるが、院としては六波羅方に、時勢に対していささかの不安の念をも持っていない自分をお示しになる必要があったのである。院宣を撰者《せんじゃ》藤原俊成に伝える役を承ったのが資盛《すけもり》卿であることも、含みのある院の御措置であったと言うべきである。

この勅撰和歌集の院宣が下されたのは二月であるが、この頃から飢饉のため暫《しば》らく途絶えていた源氏の上洛《じょうらく》が近いという風評が再び京の街に流れ始めた。この前しきりに源氏上洛の噂《うわさ》が行われた養和元年の秋の場合は、専《もっぱ》ら東国の頼朝の動きが取沙汰《とりざた》されたが、こんどは北国の木曾冠者《きそのかんじゃ》がそれに代っていた。実際に木曾冠者義仲の勢威は日一日強大になっており、そのことは逐次都に報ぜられていた。

三位《さんみ》中将維盛《これもり》卿が追討使として四万余騎の軍勢を率いて京を発し、北陸へ向ったのは四月十七日であった。維盛卿が追討使として都を発《た》って行ったあと、公卿朝臣の間には久しぶりで平静なものが見られた。これまでお互いに口には出さなかったが、院が諸国の追討使を停む院宣をお出しになって以来、院は源氏と平氏の間の和睦《わぼく》をお図りになるお考えを持っておられ、六波羅も亦《また》それを望んでいるのではないかというような見方を、誰もが持っていた。そして実際にそれに関する風評がまことしやかに流れた。頼朝からの使者が院に謁《えつ》したとか、頼朝が上書して、関東は源氏、西海は平氏に一任することにし、源平共々お召使いになることを奏請したとか、そしてまたそれに対して、六波羅がそれはまことに結構なことだが、平氏としては入道相国の遺言に依って、源氏と和することを停められているので、その旨《むね》にお応《こた》えできないと院に申し入れたとか、いろいろなことが取沙汰された。

言うまでもなく、源平両氏の和平ということは、現下の兵乱を一時鎮める方策であるには違いなかったが、それは平氏にとっては、闘わずして、天下を源氏に明け渡すこと以外の何ものでもなかった。今や天下の信望を失い尽している平氏と、その反対に日の出の勢にある源氏とでは、和平というものの意味するものがまるで違っていた。

院が平氏をお見限りになっておられたということは、源氏がそれに交替することをお望みになっておられたということではない。ご慎重な院が、どうしてまだご引見にもなったことのない頼朝や、その輩下の者共をお信じになることがあろうか。院は平氏をお見限りになっていると共に、源氏に対しては、それを恃《たの》むお気持と、それを警戒するお気持とを半々にお持ち遊ばされていたのである。

源平二氏の和平の噂は、有体《ありてい》に申すと、源氏と気脈を通じている一部の朝臣から出たものではないかと思う。実際にまた関東の意を体してそのようなことを院に奏上した者がなかったとは言えない。この場合、院は諸国の追討使を停む院宣をお出しになっているということで源氏に御心の一部をお示しになっておき、その余のことは六波羅にお謀りになって自然の成行きにお任せになられる態度をおとりになったと見るべきである。日一日勢威を失いつつあるとは言え、かりそめにも、現在京に於て兵馬の実権を握っている六波羅に対して、この際ご自分のお考えを押しつけるような軽率なことはなさらなかった筈《はず》である。

六波羅が追討軍を発遣させることに決め、維盛卿《きょう》が大軍を率いて北陸へ進発して行った時、京の公卿朝臣たちは源平両氏の和睦の夢が跡形もなく消え、自分たちの迎える運命がはっきりしたことで、却《かえ》って落着いたように見受けられた。京の朝臣たちは是が非でも追討軍に勝って貰わねばならなかった。若《も》し追討軍が敗れるようなことがあれば、容易ならぬ事態が自分たちを襲うこと必定であった。

維盛卿が進発して行った四月の半ばから五月へかけて、公卿朝臣たちは顔を合せると、維盛卿の名を口に出した。女子供たちまでが、維盛、維盛と言った。だが、こうした中で、院だけははっきりと追討軍が敗れることを予見遊ばされていたのである。院は追討軍が敗れたあとの京の混乱に対してどのように処するか、そのこと許《ばか》りに御心を労していられたのである。

五月早々、追討軍が越前国へはいった報せがあった。そして半ば近くなってから、去る三日追討軍が加賀国に攻め入って、合戦があり、両軍に多くの死傷が出たことが伝えられた。そして十六日になって、去る十一日に追討軍が勝ちに乗じて越中国にはいり、木曾冠者義仲、十郎行家の軍と闘い、追討軍敗れ、過半討死したことを告げる使者が都へはいって来た。この夜内裏《だいり》に於《お》ては御読経《みどきょう》が行《ぎょう》ぜられた。上卿《しょうけい》実家《さねいえ》卿が列席、余も亦その座にあったが、お縁にはいっていた月の光が月蝕《げっしょく》で消えて、あたりがまっくらになったことが、特別な夜であっただけに異様な不気味さで感じられた。

追討軍の敗報で都の公卿たちの顔からは血の気というものがなくなった。二十二日早朝、東方に赤い雲が現れ、それが紅旗のなびくのに似て見えたということが頻《しき》りに言われた。吉凶いずれにも判断できる流言であったが、このようなことさえも、多くの公卿たちには己が明日の運命と無関係には思われなかったのである。

月が代って六月三日に、院は日吉《ひえ》神社に臨幸遊ばされた。略式に依って御輿《みこし》を用いられ、公卿は大納言《だいなごん》以下七、八人が浄衣《じょうえ》を着てお供した。この日追討ご祈禱《きとう》のために、伊勢、八幡《やわた》、加茂、松尾、平野、春日《かすが》、住吉《すみよし》、日吉、祇園《ぎおん》、北野の十社に奉幣使*が遣わされた。

——近年以来、関東北陸ノ国々、兇賊群《キヨウゾクムラガ》リテ、人民穏カナラズ。ヨッテ北陸道へ、先《マ》ズ暴乱ヲ鎮メンガタメニ、追討使ヲ遣ワセリ。シカルモ官兵相逢《アイア》ッテ防ギ戦ウ由《ヨシ》、ソノ聞エアリ、朝政ヲ懼《オソ》ルルナクシテ、偏《ヒト》エニ野心ヲタクラメリ。斯《カ》クノ如《ゴト》キノ党類ヲバ、冥罰《ミョウバツ》ヲ加エテ、殺戮《サツリク》シ給《タモ》ウベキナリ。百皇ノ暦運未《イマ》ダ尽キズバ、諸神ノ鎮護豈《アニ》空《ムナ》シカランヤ。

宣命《せんみょう》の書き出しであるが、これは大内記光輔の草すところのもので、余は上司である関係上、相談を受けて二、三意見を述べ、最初の〝関東北陸ノ国々〟とあるはそのままにして、次に〝ヨッテ関東北陸道へ〟とあったのを、北陸道のみに直した。また〝神兵ノ向ウ所、何人カ敵タラン、冥罰加ウルトコロ、イズクニカ逃ルベシ〟というあとに、〝不順ノ徒帰化シテ、兵革永ク収マリ〟という一句を入れることにした。六波羅にも見せなければならなかったし、他日、源氏の武者たちに読まれることも考慮に入れなければならなかった。

十社に奉幣使が派せられたその翌日の四日に、北陸敗戦のことが都の巷々に伝わり、人心動揺して捨て置けぬ事態になっていることが朝議で問題になった。更に翌五日には、公卿朝臣の間でも頻りに敗戦のことが囁《ささや》かれ、実説なるものが各種入り乱れ飛んだ。

翌六日、初めて情勢容易ならぬことについて、前内府宗盛卿より正式に院に奏せられて来て、朝から大騒ぎになった。院は今後の措置について直ちに近臣にお謀りになろうとされたが、左府はいったん参内したにも拘《かかわ》らず、書面で上奏すると申し上げて退去し、右府兼実卿、堀河大納言の如きは所労を申し立てて参内しなかった。僅《わず》かに大蔵卿、内府、梅小路《うめのこうじ》中納言が参向したのみであった。

左府が書面を以《もっ》て奏上したことは、重ねて御所の行事を行わるべきこと、十社に於て如説仁王講《にょせちにんのうこう》を修せらるべきこと、柏原《かしわばら》、成菩提院《じょうぼだいいん》、安楽寿院にこんどの事件をお告げになるべきこと、天台首楞厳院《しゅりょうごんいん》に於てその本尊の丈六《じょうろく》尊像の前で大威徳法を修せらるべきこと、仁和寺の宮若しくは東寺長者に尋ねて然《しか》るべき秘法を修せらるべきこと、以上五箇条であった。

右府の上書には、〝関東北陸乱逆ノ間ノコト鎮メラルベク〟と最初に認《したた》められてあり、神事、仏事、御願《ごがん》のことを詳細に認め、追討の事に関しては〝征討ノ謀、将帥《ショウスイ》ノ最タルモノナリ。彼ノ議奏ノ趣ニ就イテ、重ネテ評定ニ及ブベキカ。但《タダ》シ、士卒ソノ力疲レ、追討難シト申シ出《イ》ズルヤモ知レズ。若シ然ラバ、伊勢近江《オウミ》両国ニ辺将ヲ置キ、中夏《チユウカ》ヲ守ルベキカ〟とあった。甚《はなは》だ要領を得ぬ奇妙なものであった。

内府は右府、左府と同じようなことを奏したが、追討については、〝平安京ハ百王不易《フエキ》ノ都ナリ。東ニ厳神有リ、西ニ猛霊ヲ仰《アオ》グ。厳神ハ加茂大神、猛霊ハ松尾霊社ナリ。二神ノ鎮護ニ依リ、万代ノ平安ヲ期ス。然レバ永《トコシ》エニ都ヲ遷《ウツ》スベカラズ〟と古書の一文を引き、これまた奇妙と言えば奇妙と言えるものであったが、これがまだしも敵軍が近江に迫った場合でも都を遷すべきでないと、僅《わず》かながら、そこに自分の意見らしいものを覗《のぞ》かせた上奏文であった。

お召しに応じて参向した実房卿と長房卿がいかなることを奏上したか聞き及んでいないが、内府、右府、左府共に、国家の難に対処する策として祈禱と御願のこと許りを院に奏上したわけである。この場合院がいかなるお気持をお持ちになったか拝察すべくもないが、余の考えるところでは、院はこのために特にいかなるお感慨をもお持ちにならなかったのではないかと思う。院は御位に即《つ》かれたお若い時この方、常にこのようにしてお過しなされて来たのであって、一朝事ある時公卿朝臣たちがいかに力にならぬかは、よくご存じになっておられた筈である。院はこのような場合常に自分お一人でお考えになり、自分お一人で事に当って来られたのである。

この日の夕刻より、北国から身を以て逃れて来た武士たちが都へはいり始めた。翌七日になると、北陸の合戦の模様が、次第に仔細《しさい》に判って来、四万の官軍が、五千の木曾軍にさんざんに討ち破られ、大部分の者が討たれるか山中に逃れ、その消息は不明であるということであった。家人を追討軍に送っている家の者たちはみな気が動顚《どうてん》し、取るものも取り得ない有様であった。

　こうした中にあって、院は公卿朝臣たちが奏上したように、神事仏事にお励み遊ばされた。公卿朝臣たちがそのようなことで難局を切り抜けられるとは思っていないように、院も亦そのようなことがこの際いかなる力をも持っていないことは充分ご承知の上で、それを為《な》されたのである。乃《すなわ》ち翌七日には早くも今熊野《いまぐまの》御精進を始められ、一日のうちに不動明王像並びに四天像を造立供養《ぞうりゆうくよう》され、前僧正《そうじよう》公顕を御導師として天下安堵《あんど》をご祈念遊ばされた。十一日には中堂に於て、薬師法一壇を始められ、十四日は御霊会《ごりようえ》、十五日は新熊野に於て六月会《みなづきえ》、十八日には逆徒降伏《ごうぶく》のため仁王講百座が十社に於て行ぜられ、二十一日は公卿朝臣たちを山陵使にお立てになるといった具合であった。二十七日には余も御旨を拝して新日吉神社、北野社、前斎院に詣《もう》でた。北野社は社殿崩壊し見る影もなくなっていた。

　源氏の先鋒《せんぽう》が江州《ごうしゆう》に打ち入ったという報がはいったのは十三日のこと、その余りにも早いのに、人々は色を失った。十八日に肥後守貞能《ひごのかみさだよし》が千余騎を率いて入洛したが、その軍勢数万と噂されていただけに、人々の失望甚しいものがあった。この六月は毎日曇りがちの天気が続き、夜になると雨が落ちることが多かった。日吉社の附近は白鷺《しらさぎ》が多いことで知られているが、この月にはいってから一羽も居なくなっているというようなことが意味ありげに言われたものである。

それでも六月はさしたることもなく過ぎ、月が代って、七月半ばになると世は急に騒がしくなった。十郎行家が既に去月十四日に伊賀《いが》国へはいって合戦しているとか、源氏の軍勢が大和にはいり、ために薩摩守忠度朝臣《さつまのかみただのりあそん》が百騎許りを引連れて丹波へ発向したとか、そのようなことが人々の話題に上った。六波羅が都に迫りつつある源氏の軍勢に対していかなる作戦をとっているか、また源氏がどの辺にまで押し寄せて来ているか、院や院の周りの公卿朝臣たちには何も判らなかった。どこからか洩《も》れ伝って来る噂に一喜一憂するだけで、この頃また源平二氏の和平のことが頻りに取沙汰された。

崇徳院《すとくいん》御自筆の血書のことが問題になったのもこの頃のことである。崇徳院が讃岐《さぬき》に於て御自筆で、血を以て五部大乗経*をお書きになり、奥書に天下亡滅を祈って筆を執ったと記してあるものが、御子元性法師*の許《もと》に伝っていると言う者があった。そんなことから朝廷では法勝寺に於て崇徳院に供養申し上げることがあった。近年京中京外、人々は西に東に逃げ惑い、一日として安穏な日のないことは、まことにこれ崇徳院怨霊《おんりょう》の所為かと思いたくなるくらいであった。

二十一日午刻、新三位中将資盛卿は家の子郎党三千余騎を引連れて発向、宇治を経て江州へ赴くということであった。内々で御見物する院に侍して、余も亦出陣する平氏の軍勢を見送った。資盛卿は水干小袴《すいかんこばかま》を着し、弓箭《きゅうせん》を帯し、頸《くび》には宣旨をかけていた。

翌二十二日になると、源氏の軍が既に東坂本に着き、叡山《えいざん》に登ったという噂が専《もっぱ》らであった。二十三日は早朝叡山の座主《ざす》明雲《みょううん》が下洛《げらく》し、衆徒《しゅと》の意見として、兇徒《きょうと》等すでに山上にあり、若し合戦に及ばば、天台仏法の破滅は必定なり、宜《よろ》しく和平せらるべきの由仰《おお》せ出《いだ》さるべきの旨、申し入れたということであった。余はこの日院に出仕しなかったので、これはあとから聞いた話である。

二十四日、昼間雷鳴を伴った激しい雨が降った。この日余は午刻に院に参内したが、右大弁親宗《ちかむね》卿が、議定《ぎじょう》いたさなければならぬことあるので、人々を召するようにという院のご沙汰があり、左内両府、皇后宮大夫《こうごうぐうのだいぶ》の許には既に使いを出してあるので、暫《しばら》く待っているようにということであった。暫くして左府、皇后宮大夫等が姿を見せられた。右大弁が仰せられるには、庁の下文《くだしぶみ》を作り、推問使をして賊徒の許に携行せしめるが、それについて議定したいということであった。頭弁《とうのべん》*兼光朝臣遅れて参内したが、先日院よりご沙汰を拝したということで承るところの草稿を持参していた。一座の公卿たちは次々にその草稿に眼を当て、それについて思うことを述べた。左府は院宣にすべきかどうかに疑義を持ったようであったが、内府はやはり院宣であるということをはっきり記載すべきであると言い、余も亦それに賛同した。また左府は〝社稷《しやしよく》を全《まつと》うすべきの由噂で聞いているが、果してそうした考えを持っているか〟という一項について一応六波羅に相談した上のことにすべきではないかという意見を述べた。平氏の思惑を考えた上での配慮であった。兼光朝臣はそうしたことを天聴に達することはいかがと思われるし、筆者はただ院から仰せ下されたことを守り認めただけである、と言った。また右大弁が和親の儀を示す文字を挿入《そうにゆう》した方が穏かではないかと言ったが、兼光朝臣はそうした旨は承っていないと答えた。そこへ大蔵卿が遅れて参内、院には全く和親のお気持のないことを伝え、和親と推問との間に厳として差別あるべきことを主張された。最後に余は、〝挙げて台岳《たいがく》に登り仏法を魔滅せんと欲するか〟の一条を加えるべきではないかと言ったが、これは一座の公卿たち全部の同意するところとなった。

議定が終ると、右大弁は座を立ち、事の由を奏したのち、頭弁が紙筆を取り寄せて、これを認めた。推問使としては天慶左衛門権佐《さえもんのごんのすけ》が選ばれた。

この日、きのう見送った許りの資盛卿、肥後守貞能が相具して兵を班《かえ》して帰って来たということが伝えられた。追討を承った者が途中から引き返して来るというようなことは曾《かつ》て聞いたことがなかった。洛中には入らず宇治一坂辺に宿るということであったが、後から考えると、平氏一門は既にこの時、都落ちの心を決めていたのであった。この日八幡の宝殿の後塀附近の桐樹《とうじゅ》に落雷あり、廻廊少々焼失したということであった。

公卿朝臣たちが院宣を和親の体裁にすべきか推問の形にすべきか、いかなる一項を入れ、いかなる一項を削るべきであるか、そうしたことを議定している時、院はひとり御座にあって全く別のことをお考えになっておられたのである。こうした場合何の力にもならぬ公卿たちにはそうしたことを議せしめておいて、院はおひとりで、叡山の木曾軍の中へ身をお投じになって行く時期を自分だけでお計りになっておられたのである。この日、院はおひとりで誰よりもお忙しかったに違いない。叡山に登って京の街を見下している木曾の軍勢のこともお考えにならなければならなかったし、頽勢《たいせい》をいかんともし難くなっている平氏一門の者たちが、いまいかなることを為そうとしているかにも叡慮を廻らさなければならなかったのである。

追討の宣旨を頸《くび》にかけて発向して行った資盛卿が闘わずして引き上げて来たことをお知りになった時が、院のお心の決まった時ではないかと思う。今宵《こよい》を措《お》いては、ご自分の運命をお開きになることのできないことを、鋭くお感じになったに違いない。

後で聞いたことであるが、この夜、深更に及んで院は法住寺《ほうじゅうじ》殿へ行幸遊ばされたのであった。公卿平《へい》大納言、新中納言、源宰相中将《げんさいしょう》、新宰相中将等が供奉《ぐぶ》申し上げた。その翌二十五日未明、法皇は更に法住寺殿を出御《しゅつぎょ》、いずかたとも知れずに逐電遊ばされたのである。その風聞をある者は信じ、ある者は信じなかった。辰《たつ》ノ刻（午前八時）になって、院のお姿が消えたことは、最早《もはや》疑うべからざる事実であるとしなければならなかった。こうした院の消息が、公卿朝臣たちを右往左往せしめている頃、都の南方に大きい火の手が上がるのが見えた。火は六波羅、西八条の空を嘗《な》めていた。平氏は己が経営した邸宅に火をかけ、主上の御車を具し奉《たてまつ》り、西海へ赴こうとしていたのである。

この日、早旦《そうたん》より叡山の僧たちは次々に京に下ったが、その途中の狼藉《ろうぜき》は言語に絶するものがあった。あるいは降将の縁辺と称して放火し、あるいは物盗《ものと》りと称して乱暴の限りを尽した。民家も堂宇も尽くその災禍を蒙《こうむ》った。

この間に、院が叡山にいますことが判《わか》り、公卿朝臣たちは次々に山に登った。そのことを余に告げる者があり、余も亦、未《ひつじ》ノ刻（午後二時）に家を出た。思うところあって直衣《のうし》を着し、西坂より輿に乗った。禅師坂の辺りで、知人が八条院御所の辺りは物騒であることを教えてくれた。水飲場の辺りでまた知人に会った。山上は兵馬群れをなしており、惣持院《そうじいん》が城に変ってしまっているということであった。余は直ちに御所円融房《えんゆうぼう》に参った。大勢の者がひしめき侍《はべ》っていた。主典代《さかんだい》＊、御随身《みずいじん》等は庭上に居流れていた。院に謁《えつ》し、暫くして宿所尊登法院の房に退下した。この日登山した主な者は、右府、花山院大納言、中御門《なかみかど》大納言、前源中納言、源宰相中将、大蔵卿等であった。

翌二十六日になると、院が叡山の東塔南谷の円融房に在《いま》すことが知れ渡って、公卿朝臣たちは続々山に登って来た。入道前《さき》の関白基房、左大臣経宗《つねむね》、内大臣実定《さねさだ》の面々が相次いで姿を見せた。摂政基通《せつしょうもとみち》卿＊は亡《な》き入道相国の女《むすめ》を娶《めと》っている関係で、勿論《もちろん》平氏一門と共に西海に落ちたものと思われていたが、このひとも亦《また》円融坊へはいって来た。前日の二十五日に馳《は》せ参じた右府兼実卿等を併せると、廷臣の重だった者はみな平氏を見限って、院にお縋《すが》りしたことになる。

この日の午刻頃から平氏西走の模様が次第に詳しく伝えられて来た。平氏一門の者は西に奔《はし》るに当って主上並びに建礼門院を具し奉り、内侍所《ないしどころ》の神鏡、神璽《しんじ》、宝剣を捧《ほう》持《じ》し、殿上の御椅子《いし》、和琴《わごん》の名器鈴鹿《すずか》まで持ち去ったということであった。何しろ平氏の党類は都を棄《す》てるに際して、それぞれ六波羅の己が邸宅に火を放ったので、洛中の騒擾《そうじょう》は喩《たと》えようがなかった。主上をお連れする役を受け持ったのは頼盛卿だと聞いている。主上は御輿でいったん六波羅の泉亭《せんてい》に還御《かんぎょ》遊ばされ、そこで御母建礼門院、准后《じゅごう》と御一緒になられ、摂政の扈従《こしょう》のもとに都をお立ち出《い》でになったのである。主上は御齢《おんとし》六歳、いとけなき御身で、容易ならぬ日をお迎えになったわけで、ただただ恐れ多い極みと申し上げるほかはない。主上に扈従し奉った摂政基通卿は途中から車を班《かえ》され、叡山へ登って来られたのであるが、どこまで行かれて逐電なされたのかと、蔭《かげ》で兎角《とかく》の噂《うわさ》をする者たちがあった。

二十七日に院は叡山よりお還《かえ》りになり、忌日《いみび》のため直《す》ぐには御所においりにならず、錦織《にしごり》ノ冠者義広が白旗を指して先陣に立ち、蓮華王院《れんげおういん》に着御遊ばされた。これと殆《ほとん》ど時を同じくして義仲の先陣として武田《たけだ》勢も亦都にはいった。

翌二十八日に院は公卿たちを召され、平氏一門は幼主を具して西海に赴き、神鏡剣璽みな平氏の収むるところとなってしまったが、一体これに対して如何《いか》に為すべきであるかということをお訊《たず》ねになった。誰も答える者はなかった。

この日義仲と行家はそれぞれ軍勢を率いて北と南の両方面より都へはいって来た。院は直ちに二人を御前に召された。義仲は錦《にしき》の直垂《ひたたれ》を着、黒革縅《くろかわおどし》の甲《かぶと》に折烏帽子《おりえぼし》、行家は紺の直垂を着、黒糸縅の甲に立《たて》烏帽子、それぞれ七、八人の従者を随《したが》え、相並んで南門よりはいって御所東庭に参進し、階《きざはし》の傍に控えた。義仲は三十歳余、行家は四十歳余に見受けられた。御前近く進むようにというご沙汰を拝したが、両人共に西南に向って踞居《きよくきよ》したまま進まなかった。院が両人に平氏一門の追討の命をお降《くだ》しになると、二人はそれぞれお承《う》けする短い言葉を口から出し、直ちに御前から退出して行った。二人の武将の態度物腰はその場に居た公卿朝臣たちの眼をいっせいにそばだたせた。

義仲はこうした場所に慣れないためにすっかり気おくれしたのか、或《ある》いはその反対に傲慢《ごうまん》に押し切ろうとしたのか、一度も院の方へは顔を向け奉ることはなかった。これに反して、院は平氏を倒した源氏の武者を御簾《みす》を隔ててしげしげとごらんになっていらしった。二人の武将が退出したあとで、公卿たちはあのような田舎武士がこのような場所に出入するようになったのは夢か、あらぬかと、そのようなことを言い合っていたが、院だけはその話の中にはお加わりにならなかった。二人の武将がいかなる性格の人物であるか、それをお知りになることに専ら御心を用いられていたのである。夢か、あらぬかと、公卿たちは言ったが、二人の粗野な武人が平氏一門に代って都へはいって来た天下の実力者であることは、今や歴《れっき》とした現実の事実であった。

今にして思うと、相手の顔に眼を当てたまま眼をお離しにならなかった院と、院の方についに顔を向け奉らなかった義仲とでは、この初対面の時、既に勝負ははっきりしていたと言うほかはあるまい。

一日置いて三十日に評定が開かれ、頼朝、義仲、行家等の勧賞《けんじょう》のことと、関東北陸の庄園並びに京における騒擾狼藉の制止についての方策が議せられた。またこの日官《かん》寮《りょう》を仙院に召し、三種の宝物に関して卜申《ぼくしん》するよう、民部卿成範《なりのり》にそれの奉行たるの御沙汰があった。幼帝はなおご健在であらせられるが、平氏と共に西に遷《うつ》っておられるので、別に新帝を奉ずる以外、現下の世の混乱を防ぐ方法のないことは誰が考えても明らかであった。併《しか》し、そうなると国に二帝在《いま》すことにもなり、事が事だけに誰にしても軽々しく意見を申し上げることはできなかった。公卿《くぎょう》たちの考えも区々《まちまち》で、平氏方に交渉して幼帝ならびに三種の宝物をお迎えすべきだとか、よしやそれができないにしても、一応交渉だけはして、交渉した上で新帝のことを考慮すべきではないかとか、当り触りのないことが言われた。

このような議定の空気ほど院の御心から遠いものはなかったに違いない。院は一日も早く新帝を立てることが、現下の時局を収拾できる唯一《ゆいいつ》の途《みち》であるとお考えになっておられたのであるし、それを院は卜筮《ぼくぜい》という形に依《よ》っていっきに実行にお移しになろうとなさっていたのである。公卿たちの中には院がご出家の身で卜筮を為すというそのことが如何《いかが》なものであろうかというような意見を具申する者もあったが、院の御心の内を弁《わきま》えぬ愚かなことと言うべきである。

院はすべての事を公卿たちにお図りになられたが、公卿たちの言うことには初めからお耳を傾ける気持は露ほどもお持ちになっていなかったと拝察する。公卿たちが国の難事を処するに当って何の役にも立たぬことは、年来倦《あ》きるほどご経験になっていた筈《はず》である。事が重大なので、一応道順をお踏みになる体裁をお採りになったまでのことなのである。

この日から数日京に於《お》いては平氏一味と目される者の追捕《ついぶ》が厳重を極め、探索は一般の人家から公卿の邸宅に、更に神社にまで及んだ。これは義仲が都へはいって採った最初の措置で、このことあるは当然予期されていたことであったが、義仲という人物の性格がかいもく判らぬ時だったので、公卿朝臣たちはために魂を冷やした。平氏の一味だという言い方をすれば総《すべ》ての者が平氏の一味であった。過去に於て平氏に款《かん》を通ぜぬ公卿朝臣は一人もないと言ってよかった。難はいつ己が身に及ぶか判らなかった。

権《ごん》大納言頼盛卿を初めとする平氏の党類二百余人の解官《げかん》が発表になったのは八月六日のことであり、それに代って源氏一門の除目《じもく》が院殿上に於て行われたのは十日のことである。義仲は左馬頭《さまのかみ》兼越後守、行家は備後守《びんごのかみ》に任ぜられた。併し、義仲、行家共にその任国に不満であることが判ったので、続いて十六日に再び院に於て除目が行われ、義仲は伊予守に、行家は備前守に遷され、その他の源氏一門の者もそれぞれ然《しか》るべき官に任ぜられた。

平氏の追討、解官共に普通なら宣旨を用うべきであったが、この際院庁《いんのちょう》の下文《くだしぶみ》を用いる他はなかった。また源氏の勧賞にしても、今までに例のない院の殿上の除目が行われたのである。

新帝践祚《せんそ》については何回も院に於て議定が開かれたが、このことを知った義仲から以仁王《もちひとおう》の皇子が北陸に在《おわ》すので、この皇子を推戴《すいたい》すべきであろうという意見が大蔵卿高階泰経《たかしなのやすつね》まで申し出されて来た。院が卜筮に依って新帝を選ばれようとなさったのは、とうに義仲にこの事あるを察知なされておられたためであろうと思われる。義仲の言うことは至極尤《もっと》もであったが、院としては義仲が推すという一事で、その宮をお立てになることはお避けにならなければならなかったのである。

十八日に前関白基房、摂政基通、左大臣経宗、右大臣兼実卿の面々が院に召された。院は高倉天皇の第四皇子、御年四歳の幼い宮をお立てになるお考えを持っておられ、そのことを重臣たちにお図りになったのである。廷議は院のご希望通り第四皇子を推すことに決まったが、院は更に卜筮に依る形をとられ、四ノ宮が大吉、三ノ宮が半吉、北陸宮が不快と出るに到《いた》って、初めて第四皇子を新帝として立てることにお決めになったのである。

義仲はこの決定に不満であったが、卜筮に依って決められたことなので如何《いかん》とも為《な》し難かった。院は義仲の抗議に頓着《とんちゃく》することなく、二十日に法皇の宣命《せんみょう》で践祚の儀を執り行わせられたのであった。剣璽を伝えずしての践祚の例は、この後鳥羽帝の場合が初めてのことである。斯《か》くして院は義仲をその初めに於てお押えになってしまったわけで、院にとっては義仲は、亡き入道相国に較《くら》べると、ずっと御し易《やす》いお相手であったようである。

義仲が入洛してから秋の初めへかけての事はここに改めて申し述べるには及ぶまい。前年から飢饉《ききん》で、それでなくてさえ食糧の不足している京の街へ大軍を入れたという一事で、義仲が天下に采配《さいはい》を振る人物でないことははっきりしていた。京に屯《たむろ》する武士たちの乱暴狼藉は言語に絶するものがあり、掠奪《りゃくだつ》と放火は毎日のように行われ、怨《えん》嗟《さ》の声は巷《ちまた》に満ちていた。京中守護の院宣を奉じて、義仲は都を十一区に分けて、重だった武将たちに警戒の命を降したが、それでも兵たちの狼藉を取り締まることはできなかった。

院はこのことで義仲という若い武将をお見限りになったと言われているが、お見限りになったのはそれ以前のことである。院は御所蓮華王院で初めて義仲と対面なさった時、義仲という武人の器量を見ておとりになり、その時早くも義仲をお離しになってしまわれたのである。このことは同じその日、院庁の中原康貞を鎌倉にお下しになったことではっきりしていると思う。康貞は法皇の院宣を奉じ、頼朝の上洛を促すための使者であったのである。と言って、院は頼朝というまだ会ったことのない源氏の頭領を強《あなが》ちお信じになっていたわけでも、頼りになさっていたわけでもない。頼朝がいかなる武人であるにせよ、義仲を追うことのできる人物は頼朝しかなかったからである。上洛して来た頼朝が皇家に害を為す人物なら、その時はその時で、また他の方策を講ずればよかった。そうしたお気持があったればこそ、院は西に奔った平氏に対しても追い討ちをかけるような態度はお採りになっていないのである。平氏を賊軍という名で呼び、平氏追討の院宣を義仲に降してはおられるが、併し、平氏に立ち直る時を与えるために、義仲の軍勢が京に留まるのを黙認なさっておられたのである。西に奔った平氏、まだ見ぬ鎌倉の頼朝、その双方を、院は都にあって等分にお眺めになっていらしったと拝察する。

義仲の失政は入洛一カ月にして誰の眼にも明らかだった。義仲の不人気が増すに従って、頼朝の上洛が近いといった風評があちこちで囁《ささや》かれるようになった。

九月にはいってから院は義仲に平氏追討のための進発を促された。凶暴な兵たちを一日も早く都から追い出すことが急務であったが、義仲は部下の武将を先発隊として西方に向かわせただけで、自分が腰を上げる気配は見せなかった。頼朝上洛の風評は義仲の耳にもはいらない筈はなく、そうしたことから義仲は都を離れることはできなかったのである。

義仲の立場が日一日苦しいものになって行くと、院は義仲に対して次第に強い態度をおとりになり、九月二十日には義仲を御所に召して、平氏追討の厳命をお降しになり、自ら御剣を賜るに到った。こうなると、院旨こばみ難く義仲も西征の途に上らないわけには行かなかった。

義仲の軍が一部を残して都を出て行くと、京の街は久しぶりで平静さを取り戻した。頼朝近くの山野に避難していた民たちも、次第に京の街に戻って来るようになった。頼朝上洛の噂はこの頃になって、また一層まことしやかに伝えられた。いかなる人物か、その賢愚さえ判らぬ頼朝を待望する気持は、公卿朝臣の間にも町人の間にも昂《たか》まって行った。さきに院の使者として鎌倉に向った院庁の官中原康貞が携えて来た頼朝の奏文は誰が見てもそつのないものであった。

一、平氏西走は源氏挙兵の力に依るものでなく、王法を守護する仏神の力に依ってである。依って神社仏寺に勧賞《けんじょう》を行い、寺領の恢復《かいふく》を図らるべきこと。
二、平家一門に奪われた院宮以下諸家の領をもとの如《ごと》くに還すべきこと。
三、叛逆者《はんぎゃくしゃ》たりとも紊《みだ》りに断罪を行うべきでないと信ずる。平氏一門の者でも帰順した者は生命を救《たす》けらるべきこと。

而《しか》して頼朝は院の上洛の招請に対して、後方に不安があるという理由で、暫時《ざんじ》の猶《ゆう》予《よ》を乞《こ》うて来ていた。この頼朝の奏文の内容が発表された時、公卿朝臣たちは一人残らず愁眉《しゅうび》をひらいた面持であった。頼朝の上洛が直ぐには行われないということでは期待に反《そむ》かれたわけであったが、頼朝という武人の寛容な人となりは、都の公卿朝臣たちには充分魅力あるものであったのである。

院おひとりはその時終始黙っておられた。公卿朝臣たちとは違って、院は頼朝に対して、悦《よろこ》んで許《ばか》りはいられない手強《てごわ》い相手をお感じになっていらしったと思う。三箇条の上奏文は公卿をも、僧侶《そうりょ》をも、宮家をも、すっかり自分の方に抱き取ってしまう魔力を具《そな》えたものであった。しかも院の召しに応じないで、理由を作って鎌倉に留まっているところなどは、心憎いほどの慎重な態度と言うべきであった。若《も》し院旨を奉じて上洛して来れば、頼朝は義仲の軍とも闘わなければならなかったし、平氏の軍とも闘わねばならなかったが、鎌倉に留まっている限りは一兵をも損じないで済むわけだった。平氏追討は義仲が受け持ってくれるし、そのために義仲の軍は相当の痛手を蒙《こうむ》る筈で、何もいま自分が兵を動かすには当らなかった。

院は頼朝の風貌《ふうぼう》について中原康貞にお問い質《ただ》しになったが、康貞が人品骨柄卑《いや》しからぬ偉丈夫とお答え申し上げると、院は考え深いお顔をなさって、狐《きつね》にしても大狐だなと、真顔で仰《おお》せになられた。この院のお言葉は康貞の耳にはいったかどうか判らなかったが、余の他にそれをはっきりと聞いたものは何人かあった筈である。右府兼実卿もその時、はっとしたように院のお顔を窺《うかが》ったところから推すと、その院のお言葉を耳に入れたに違いないと思う。

現在のところ頼朝が亡き浄海入道清盛に匹敵するような人物であるかどうかは判《わか》らぬが、大狐であることだけは間違いないようである。こうした人を見る院の御目の確かさ、鋭さは、この時に限ったことではなかったが、お傍にお仕えしていて、ただただ感歎《かんたん》し奉《たてまつ》るだけである。

十月十四日に院は頼朝の上奏を用いられ、宣旨を東海、東山二道に下した。諸国の年貢《ねんぐ》、神社仏寺ならびに諸家の領する庄園はもとの如くにし、領家《りょうけ》に随《したが》うべし。この宣旨で北陸道を省いたのは、義仲の勢力範囲であるため、徒《いたず》らに義仲を刺戟《しげき》することになるのを避けられたのである。

翌閏《うるう》十月も半ば近くなって、義仲の軍が去る一日平氏の軍と合戦して破れたという報が都に届いた。誰もために気を落す者はなく、義仲の人望が全く地を払っただけのことであった。この月の二十日に今年改元あるべきか否《いな》かを、院は朝臣にお問いになったが、一人残らずが明年のことにすべきであるという意見であった。義仲の天下がそう長くは続かないであろうという見方が一般に行われている証拠であった。

義仲の軍が破れたという報が伝わると間もなく、こんどは当の義仲が再び都へはいって来るという報が伝わって来た。都に居る者にとっては、この方が遥《はる》かに容易ならぬ事件であった。手負った猪《いのしし》が舞い戻って来る不気味さがあった。それに頼朝の上洛《じょうらく》説も再燃しており、それに加えて平氏の上洛までが伝えられていた。こうなると、都がいつどのような形で戦場になるか見当が付かなかった。

十五日に義仲は京へはいって来た。風説が入り乱れて飛んでいる最中であった。頼朝や平氏の上洛説のほかに、院が義仲を避けて都をお立ちのきになろうとしているという噂《うわさ》もあれば、義仲が院を奉じて北陸へ移る準備をしているという噂もあった。そういう風説の中で、義仲は都へはいったまま参院しなかったのである。

院の方から先に使者として法印静賢《じょうけん》を義仲の許《もと》に派せられた。手負うた猪をそのままにしておくことの危険を感じられたからである。院は義仲が北陸へ移るという噂を楯《たて》にとられて、そのことを詰問《きつもん》すると共に、一方で一体何を不満に思って参院しないのか、若し不満なことがあればそれを除くことにしようではないかといった硬軟両様の交渉の仕方をされた。義仲は風説の根拠ないことを弁じ、院が秘《ひそ》かに鎌倉に書を送ったことと、頼朝の上奏を取り上げて、自分の西征中に東海東山の諸国に宣旨を下されたことを怨《うら》み奉ると答えて来た。何もかも承知していた。そして更に加えて頼朝上洛の風評があるが、若し事実なら自分はそれをその途上に於て迎え討つのみであると、威嚇《いかく》的な態度を示して来た。

この閏十月から十一月の初めへかけて、さまざまな風説が廷臣の間にも巷間《こうかん》にも流れた。いずれも頼朝の上洛と、院および義仲の動静に関する臆測《おくそく》であって、真偽のほどは判らなかった。この期《ご》に於て確かな事件と言えば、四日に平氏が八嶋《やしま》に在って勢が日々強大になりつつあるという注進があったこと、また同じ日に東国よりの上洛者があり、頼朝の代官として弟義経《よしつね》が都に上りつつあるということが判明したこと、孰《いず》れも容易ならぬ事態の到来を思わせるものであった。また八日に十郎行家が平氏追討のため西国へ下向したことも、この時期の出来事であった。行家の西国への進発は、寧《むし》ろ頼朝の代官に備えしめようとする義仲の意嚮《いこう》を無視したもので、以前から義仲との間に隙《すき》を生じているという噂があったが、こんどのことはそれを裏書きするものと受取ることができた。

　かかる時に鎌倉に再度の使者に立った中原康貞が十五日に帰洛、即日関東の模様を奏上したが、余はその席に居なかったので、いかなる奏上が為《な》されたか知らぬ。この前後から院内の空気には何となく物情騒然たるものが感じられて来て、院が義仲を都から追う計画をお持ちであるというようなことまでがあちこちで囁かれた。

　十八日の朝、幼帝は密々に御車で法住寺殿に臨幸、内裏に於ては主上が在《いま》す時と同じように日々の儀を執り行うようにということで、未《いま》だ曾《かつ》てない奇妙なことであった。また以仁王の皇子である北陸宮は女房一両人がお供申し上げて前夜何処《いずこ》かにお移りになった由《よし》承った。院の御姉君であらせられる上西門院、院の皇女であらせられる皇后宮、お二方共にこの日密々に他所にお渡りになった。お渡りの先きは双輪寺の付近だということであった。こうなると、誰が考えてもただ事ではなかった。何事が起るか判らなかったが、院内の空気は否《いや》が上にも昂《たか》ぶる許りであった。

　果してこの日、院の皇子であらせられる仁和寺宮（守覚《しゆかく》法親王）以下の宮々、幷《なら》びに山の座主《ざす》明雲、他の僧綱《そうごう》僧徒、おのおの武士を引き連れ、院内の要所要所に屯し、逆毛木《さかもぎ》を引き、溝《みぞ》を掘り始めた。合戦の準備であることは明らかであった。誰がこのようなことを指令しているのか判らなかったが、これ偏《ひと》えに天魔の結構と言うべきであって、徒らに義仲を刺戟する所為としか受け取れなかった。

この頃になって余は初めて知ったことであったが、前日、院は主典代景宗《さかんだいかげむね》を御使として義仲の許に派せられ、平氏追討にも出ず、それかと言って、頼朝の代官の上洛を迎え討とうともしないで、荏苒《じんぜん》都に日を送っているその態度を勘発《かんほつ》されたということであった。その言辞は頗《すこぶ》る激越を極め、偏えに公家を威《おど》し奉《たてまつ》り、謀反を企らむの由、その聞えありとか、追討せらるべきか、解官あるべきや否やとか、二者選一を迫った最後通牒《つうちょう》に類するものであった。

今や東西両面に敵を持って、義仲が窮地に立っていることは明らかであった。しかも兵力の大部分は平家を追討するために西国へ移っていて都には留まっていなかった。行家との隙の噂を真実とすれば、義仲は行家にも亦反《またそむ》かれているわけであった。かかる立場にある義仲を詰問することは危険この上もないことで、何事にもご慎重な院のなさることとは受け取れなかった。院はご自分を取り巻いている近臣たちの逸《はや》る心をお抑えになれなかったのに違いない。それからまた院御自身にも、義仲を軽んずるお気持がおありであったことは否めないところである。

翌十九日、午《うま》ノ刻に南方に火が見えた。怪しみ見ていると、院の御所の辺りだと言う。余は再三人を遣わしてもみたが、孰《いず》れも一面戦場になっていて、近寄ることはできないということであった。馬を馳《は》せても到底御所への参入は覚つかなかったので、徒らに南の空を見る許りで一日を過した。夕刻になる頃からさまざまな風聞がはいって来たが、孰れも信不信の程は判らなかった。日没時過ぎてから院が逃げ落ち給《たも》うた由、確かなところから報《しら》せがあった。後で聞いたことであるが、この日義仲の軍は御所を囲み、火を放ったので、その煙が御所に立ち込め、人々が逃げ惑っているところへ兵たちが乱入して来ていかんとも為し難かったそうである。法皇ならびに主上は御《み》輿《こし》に駕《が》し、東を指してお落ちになったと言う。公卿《くぎょう》十余人が馬に乗ったり、地を匍匐《ほふく》したりしてお供申し上げた。その他の者は思い思いに四方に逃げたが、女房たちは多く裸形であったと聞く。武士では伯耆守《ほうきのかみ》光長とその子の廷尉《ていい》光経《みつつね》が防ぎ闘ったが、その他の者は多く逃げ去ってしまったということであった。義仲は清隆卿の堂の付近で院の御輿を捉え、甲冑《かっちゅう》を脱いで、お供申し上げた。新御所の辺りで、院は御車に召したが、この時お傍にあったのは修理大夫《しゅりのだいぶ》親信《ちかのぶ》卿と殿上人四、五人を算《かぞ》うるだけであったと言う。斯《か》くして院は摂政基通卿の五条東洞院《ひがしのとういん》の亭に渡御《とぎょ》遊ばされたのである。国の歴史を振り返ってみると逆乱は幾つか算えられるが、こんどのように御所に焼討ちを掛けるというようなことはなかった。讃岐院の怨霊《おんりょう》の所為とでも考えるほかはなかった。天照大神《あまてらすおおみかみ》もお守りになっては下さらず、先世のご果報とは言い条、まことに悲しく歎《なげ》かわしいことであった。

この夜、花山院大納言（兼雅《かねまさ》）、権《ごん》中納言（兼房《かねふさ》）、民部卿（成範）、前源中納言（雅頼）、三条中納言（朝方《ともかた》）、藤中納言（親実《ちかざね》）、左京大夫（修範《ながのり》）、修理大夫（親信）、大宰《だいさい》相《しょう》中将（定能《さだよし》）、源宰相中将（通親）、大弐《だいに》（実清）、刑部《ぎょうぶ》卿（頼輔《よりすけ》）、大蔵卿（泰経）、治部卿（頼信）、新三位（季能《すえよし》）、新宰相中将（泰通）、右大弁（親宗）等の公卿、頭弁《とうのべん》兼光朝臣以下の殿上人が院に参入した。事が起ると、さして院のお力にはならず、事が鎮《しず》まると、いち早く院のいらっしゃる所をつきとめ、御前に罷《まか》り出る人々であったが、それにしても参入しない輩《やから》よりよしとしなければならなかった。

院はさすがに呆然《ぼうぜん》としたお顔でひと言もお洩《も》らしにならずお坐《すわ》りになっていらしった。公卿たちもひと言も口から出さなかった。摂政邸へ渡御遊ばしたとは言え、結局のところは義仲のためにお捉《とら》われの身になったわけで、これより先きは一挙手一投足すべて義仲の言うところにお随いにならねばならぬことになったわけであった。仮りの御所の周辺は義仲の兵たちで取り巻かれ、終夜、馬の嘶《いなな》きや兵たちの騒擾《そうじょう》する声が聞え、庭に出る度に、夜空が赤く焦《こ》げているのが見えた。伯州光長卿の宅、山の座主《ざす》明雲の三条坊等がこの夜焼けた。公卿たちが詰めている部屋の縁先きで、誰かが今日は賀茂の臨時祭の日であるというようなことを話しているのが聞えた。まことにそのような日であったが、天下の乱逆がそれに代ったわけであった。

翌二十日、余は取り紛れて出仕に及ばなかったが、上西門院が五辻《いつつじ》の御所にお還《かえ》りになるという由、前斎院よりその仰せがあったので、急いで参上、申《さる》ノ刻（午後四時）に女院《にょういん》、皇后宮、前斎院、ご同車で渡御遊ばされるのにお供申し上げた。

翌二十一日には五条河原に伯耆守光長以下の首級百余が掲げられ、義仲が自ら検知したということであった。この日左京大夫修範卿が昨日醍醐《だいごじ》寺において出家された由を聞いた。前よりその志があったが、この時に当って素意を遂げられたわけで、年四十一。卿は故信西《しんぜい》入道の末子であり、母は法皇の御乳母《めのと》、紀伊二位《きのにい》である。父信西入道を初めとして、幼い時から卿の前に立ち現れた多くの人たちの辿《たど》った転変の運命に思いを致すと、その出家遁世《とんせい》の気持も判らぬではなかった。この時勢では同じような志を持つ者も他に多いことであろうと思われるが、それにつけても常に事件のただ中にいまして、遁世などということは思いも寄らぬお立場にあるためか、院のお逞《たくま》しさは非凡と申し上げるほかはない。こんどの場合でもさしてお疲れの御様子もなければ、落胆の趣とも拝されず、平生と同じ態度で義仲とお話しになっていらっしゃるところなど、周囲の者は誰もが眼を見はらずにはいられなかった。公卿の一人が、義仲は不徳の君を戒める神の使であると、こんどの事件を評する際に口走ったということを耳にしたが、院が少しもお悔みになっておられない態度を拝して、それを難じ奉ったものと思われる。併《しか》し、少し見方を変えれば、院にお悔みになっていらっしゃるようなお暇はなかったのだと申し上げることができるのではないか。

院は確かにお若い宮たちや思慮浅い近臣たちのためにとんだ迷惑をお蒙りになられたのであるが、と言って、ために天下の形勢が変ったわけではなかった。義仲が殆《ほと》ど打開できぬ窮地に追い込まれていることは同じであった。ただ義仲敗亡の日を、院ご自身がいかようにしてお迎えになるかが問題であり、そのことに御心を砕かれていたと拝察すべきであろう。義仲が頼朝の代官義経の手で討たれるか、上洛して来る平氏の手で討たれるか、その孰れかであるに違いなかったが、その際騒乱の中にいかに身を処するかは、極めて難しい問題であった。平氏西走の前夜叡山に逐電遊ばされたように、こんども亦うまく行くとは決まっていなかった。法住寺殿焼打ち事件を招いたことに対してお悔みになっている余裕など、院は恐らくお持ちにはなっていなかったのである。

摂政基通卿が一昨日南都におはいりになり、現在卿の息である興福寺別当僧正《そうじょう》の房にお出《い》でになるということ、また院の皇子であらせられる円恵法親王が一昨日花山寺附近で討死遊ばされたということなどが、この日判明した。またこの夜、関白基房卿の息、十一歳の権大納言師家卿《もろいえ》が摂政たるべき由の宣下があった。義仲が基房卿の息女を室に迎えていたので、明らかに義仲の意志を表面に押し出しての人事であった。

　事件に関する一半の責任を負うべき蔵人大夫《くろうどのだいぶ》光兼は事変当日戦場から逐電していたが、それが出家したということが伝えられたのは二十二日のことである。二十四日は朝から雨が落ちていたが夕刻に到って歇《や》んだ。夜、吉田附近二カ所に火の手が上がった。祇園別当宗幸の房ならびに他の住房の焼ける火であった。武士たちが房を押し取ろうとしたので、房主が自ら火を放ったということがあとで判った。

　二十七日に叡山の衆徒が蜂起《ほうき》するという風聞が伝わった。何のための蜂起であるか判らなかったが、何事が起ってもさして怪しむに足らぬ世の有様であった。法眼《ほうげん》経尊の入滅が伝えられた。去る十九日の合戦で蒙った疵《きず》のためであるということであった。

　二十八日に、行家の随兵として西国に下向していた前兵衛尉《さきのひょうえのじょう》国尚より書状が届いた。備前国検非違使《けびいし》惟資《これすけ》が、平重衡《しげひら》の率いる三百余騎と闘って、互いに勝敗あったことの報せであった。また安芸《あき》より飛脚到来して、平氏の前陣が泊《とまり》附近に着いたことを報せて来た。

　この日解官の発表があった。中納言朝方、参議右京大夫基家、大宰大弐実清、大蔵卿高階泰経を初めとする四十三人が解官となり、官掌《かんしょう》紀頼兼が解職、権大納言兼雅卿が出仕を止められるに到《いた》った。こんどの厄《やく》に遇《あ》う人の多くは院近習《きんじゅ》の者許《ばか》りで、各々《おのおの》所領を取り召されるであろうということであった。これで院を取り巻く勢力は完全に一掃されたわけで、義仲の意を承《う》けた基房卿の采配に依《よ》ることは明らかで、ために世論嗷々《ごうごう》たるものがあった。

二十九日に基房卿の家司《けいし》である蔵人少輔親経《ちかつね》より余に院宣についての報せがあった。その状には、

――御即位の事、今年穢限《わいげん》（高倉帝の喪）過ぎ了《おわ》んぬるの後、残日幾ばくならず、頗る遂げ行われ難き歟《か》、後年に及ぶの条、先例を外記《げき》に尋ねられ候《そうろう》の処《ところ》、頼業《よりなり》、師尚《もろひさ》等の申す旨此《むねかく》の如し、この上の事申さしめ給うべきの由、院宣候うところなり、仍《よ》って言上件《くだん》の如《ごと》し。

とあって、清原頼業、中原師尚二人が答え申し上げたことが別紙として添えられてあった。頼業は践祚《せんそ》の後年に御即位のあった例として、皇極、天智《てんじ》、天武、持統、陽《よう》成《ぜい》の諸帝の場合を挙げ、師尚も亦、同様なことを記し最後に己が意見として、

――わが朝の代々の例に就いては、今年即位の礼を行わるべきなり、窮冬《きゅうとう》下旬残日少しと雖《いえど》も、年の中に遂げ行われんは尤《もっと》も先規に叶《かな》うべきものなり、然《しか》り而《しこう》して期日

已《すで》に近く、大儀調え難し者《は》、陽春の節を待ちて南面の礼を行わんこと、強《あなが》ちにその難なかるべき歟、殊《こと》に時議あり、宜《よろ》しく計り行われんことを。

とあった。余は請文《うけぶみ》*の条に次の如く認《したた》めた。

——御即位の事、先例に任せて今年遂げ行わるるが宜しかるべく候歟、然り而《しこう》して天下落居の隙なし者、残日幾ばくならず、定めて叶い難く候歟、例の善悪に依るべからず、明春大礼を行わる、何事候うぞ哉《や》、この説を以《も》って洩れ披露せしめ給うべし。

院からのお達しであったので、自分の意見を親経まで申し出たわけであるが、明春世の中が泰平になっているかどうかは甚だ怪しかった。こうした期にこのようなお訊《たず》ねをなさるということに異様な気持がしないでもなかったが、院は院としてのお考えあってのことであろうと思われた。義仲および義仲を取り巻く輩に、院はこのようなご自分をお示しになる必要がおありであったのであろう、余はそう解釈した。

慌《あわただ》しく十二月にはいった。二日に義仲は平家領を惣領《そうりよう》すべしという院庁《いんのちよう》の下文《くだしぶみ》を賜り、十日にはまた頼朝追討の院宣を賜った。年の瀬も押し詰まった二十九日には、崇徳院ならびに宇治左大臣を供養《くよう》するために、保元の戦場跡である春日《かすが》河原に仁祠《じんし》を建てることが決まった。

明くれば寿永三年、元日には四方拝は行われたが院拝礼はなかった。節会《せちえ》も例年の如く行われはしたが、高倉院崩御の御忌月《いみづき》であるため音楽を奏することはなく、極めてしめやかであった。また昨年の解官解職に依って出仕できぬ人が多く、顔振れも亦淋《さび》しかった。この日昏《く》れてより大暴風雨があり、雷鳴も混じった。車軸を流す雨のさなか将軍墓が鳴動したと言う者もあって、新年早々から不気味な思いであった。

院は義仲の監視厳しい中で、珍しく静かな正月をお過しであった。院の近習の者はすっかり遠ざけられてしまい、中には布衣《ほい》を着て祗候《しこう》する者もあったが、大方は出仕しなかった。解官解職と無関係な者も、何となく出仕を見合せ気味であった。院は何かの折に、

見るに心の澄むものは
社毀《やしろこぼ》れて禰宜《ねぎ》もなく
祝《はふり》なき
野中の堂のまた破れたる
子生まぬ
式部の老の果*

と、今様のひとくさりをお口誦《くちずさ》みになられたことがあった。いまお住まいの粗末な御殿、お仕えする者もないご境遇、そうした立場のご自分を戯《たわむ》れにその謡《うたい》にお託しになられたのであるが、それをお口誦みになった院のお顔は必ずしも暗いものではなかった。それどころか、寧《むし》ろいかにも自分の思いつきが気に入ったというように、高い声でお笑いにさえなられたのであった。

頼朝は既に鎌倉を出て上洛《じょうらく》途上にあるとか、来《きた》る八日に平氏が入洛して来るとか、そうした噂《うわさ》が年頭から伝えられた。院も亦その噂をお耳に入れていらしったが、それに対してはお顔色も変えられず、何のお言葉もお口から出されなかった。多分四日のことであったと記憶しているが、同じような噂を誰かが奏上すると、院は、

波も聞け
小磯《こいそ》も語れ松も見よ
我を我といふ方の風吹いたらば
いづれの浦へも靡《なび》きなむ

と、この場合も亦今様の歌詞をお口誦みになって、お笑いになった。その場に居合

せた者たちは、院の御心の内を計り兼ねて、笑っていいものか悪いものか、頗《すこぶ》る困惑の面持ちであった。余にはこんどのお笑いにも、いささかも暗いものはないように思われた。公卿の中には平氏の再起を望み、それを信じている者も少なく、中には平氏の親しい者たちと書面を往復している者さえもあった。また反対に鎌倉へ款《かん》を通じようと画策している者もあるらしく、何人かの公卿や殿上人がそれとなく人の噂に上っていた。こうした中にあって、院としては、いまの場合、平氏であれ、頼朝であれ、先きに都にはいって来て義仲を倒した者に、一応御身をお預けになる以外仕方ないことであった。まさにいずれの浦へも靡きなむであった。院のお笑いの明るさは、いずれの浦にも靡こうと御心を決められたところから来る明るさであったに違いない。併し、いずれの浦へ靡くにしても、その段階にまで漕《こ》ぎつけることが難事であった。その当時の義仲がただ一つの武器として後生大事に抱いているものは院であり、どのような事になっても院だけはお離しすまいと必死になっているところがあった。

相変らず流言は頻《しき》りに行われていた。平氏、源氏の動静に関すること以外に、神の託言といったものまでがあちこちで囁《ささや》かれ、それが人々の心を落着きないものにした。右中弁行隆《ゆきたか》の子息に崇徳院ならびに宇治左大臣の霊魂が乗り移り、さまざまの託言あるということが専《もっぱ》らの噂だった。義仲久しかるべからず、頼朝また然るべし、平氏若《も》しくは運あらむ歟《か》、惣《そう》じてその所行に依るべし。これが極く最近の託言であるということで、崇徳院の霊は自分のために神祠を建てるには及ばぬ、ただ讃州《さんしゅう》の墓所の辺りに一堂を建て、仏事を修すべしと言われたというようなことも伝えられた。こういう託言が囁かれると、誰も彼も頼朝はさほど頼りになる者とは思われなくなり、平氏が今にも都へはいって来そうな気がしたものである。

また、それを裏書きするように、義仲と平氏の和平のことがいろいろと囁かれた。義仲は昨年の秋から平氏と和議を図っていたが、それがこのほど遂に纏《まとま》ったというようなことも言われた。和議の内容についてはさまざまのことが伝えられていたが、義仲と平氏の間に於《お》いて何事かの取引きが為《な》されたことだけは信じるに足ることのようであった。また昨秋義仲は一尺の鏡面を鋳《い》て、表に八幡《はちまん》のご神体を顕《あらわ》し奉《たてまつ》り、裏に仮名書きの起請文《きしょうもん》を鋳付けて、これを平氏に送り、そうしたことから和親の空気が急に盛り上がって来たのであると、尤もらしく説く者もあった。

十日、突然ただならぬ噂が行われた。明暁《みょうぎょう》義仲は法皇を具し奉り北陸へ向うことに決定し、公卿たちも同行することになるだろうという噂であった。そしてそのあとの都に平氏がはいって来ることになると言う。事の真偽を確めるために院に参内しようと思ったが、参院できぬということだったので取りやめて、家に籠《こも》っていた。家を訪ねて来る者も何人かあったが、みなこの噂の浮説でないことを語った。事態は容易ならぬことになっていると思われたが、一兵をも持たぬ公卿たちにはいかんとも為す術《すべ》はなかった。余は院が心ならずも北陸へお遷《うつ》りになるなら、自分も亦《また》院のお供をして北陸へ向う許りであると思った。公卿朝臣たちはそれぞれ家族の者を南都やその近郊に送り出すことに忙しく、院の御身の上に心を遣《や》る隙はない恰好《かっこう》だった。ところが夜になって、義仲の北陸下向は中止になったという噂があり、十三日に平氏入洛、院は平氏へお預けの身となり、義仲だけが近江《おうみ》へ向うことに決まったと言う。これはこれでまた確実な方面からの話であった。

翌十二日になって、義仲の北陸下向の中止の事情が幾らかはっきりした形で伝えられて来た。義仲と平氏の間には和平の議があったが、義仲が法皇を奉じて北陸へ向うという企てが平氏の知るところとなり、平氏からそのことを厳しく難じて来、ために義仲の北陸下向は中止となり、院中守護の兵士等も召し還すことになったということであった。この頃から義仲の帷幕《いばく》の周章混乱ぶりが手にとるように判った。誰が伝えるのか、そこで議していることは筒抜けで、しかも、一度決定したことが何回となく変って容易に決まらぬ様子までが伝えられた。この日は朝から雨が降っていたが、夜になって大風があった。夜半になって、いよいよ義仲の東国下向が決まったということを伝える者があって、久しぶりで生色を取り戻した思いであった。義仲の出発は明払暁《ふつぎよう》だと言う。義仲が東国に向い、そのあとに平氏の一門がはいってくれば、何と申しても平氏はみな昵懇《じつこん》の間柄ではあり、院におかれても先《ま》ずはご安心というものであろうと思われた。義仲に対して平氏追討の院宣を下されてはあったが、それは非常の場合の措置ではあり、平氏方もそれについて兎《と》や角《かく》言うことはあるまいと思われた。また過日義仲に対して頼朝追討の院庁の下文を賜ったが、今にして思うと、これを出したことは出さないよりもいいことであった。いずれの院庁の下文も余が草するところのものであり、それぞれ一部から蔭《かげ》で非難を浴びたものであるが、院としてはそうせざるを得ないお立場に立っておられたのであり、そのお気持が判《わか》ればこそ、余も亦それを草するにいささかの忸怩《じくじ》たる気持もなかったのである。

ところが一夜あけて十三日になると、義仲の東国下向のことが徹夜で議せられ、ついに今暁に到《いた》って下向しないことに決定したということが伝えられた。近江に遣《つかわ》してあった武将から飛脚があって、九郎義経の兵は僅々《きんきん》千余騎、義仲の出陣に及ぶまでもないと報《しら》せて来たことが、こんどの決定になったということであった。しかも平氏は今日入洛する筈《はず》になっていたが、それがどういうものか延期になったということであった。そしてこの日の午後になって、またまた明後日義仲が法皇を具し奉り近江の国に向うことになったという噂が弘《ひろ》まった。公卿朝臣たちは再度顔から血の気を失った。

　翌十五日になると、こんどは院が赤痢に罹《かか》られ、ために御幸は中止となり、ひとり義仲のみが近江に向うことになったとか、義仲の下向も亦中止になったとか、そうしたことが言われた。院の御患《わずら》いがいかなる程度のものかは判らないが、御床に臥《ふ》せっておられる院の御姿が、余には眼に見えるようであった。そして、恐らくその御床の中でお考え遊ばされたことと思うが、この日義仲に征夷《せいい》大将軍たるべき由の宣旨が降《くだ》されたのであった。

　この夜から都の巷々《ちまたちまた》は兵たちの喚声《かんせい》や、馬蹄《ばてい》の響きで埋まり、時折陣鼓まで打ち鳴らされ、異様な騒擾《そうじょう》が時を経るに従って昂《たか》まって行った。近江に出陣していた兵たちが闘わずして京へ引き揚げて来たためであったが、聞くところに依ると、九郎義経の軍は千余騎どころか、数万に上る大軍であるということであった。翌十六日にはまたもや義仲が法皇を具し奉って近江へ向うという噂が弘まった。こんどの場合はその噂に有無を言わせぬような緊迫したものがあった。そして義仲は再び部下の兵を以て院の御所を固めたということであった。この期《ご》になって行家が叛旗《はんき》を翻《ひるがえ》したとかいうことで、午後行家を討つための軍勢が都から出ていった。昨夜から京の街を混乱に陥《おとしい》れていた兵たちの大部分が行家討伐に出て行くと、都は再び静けさを取り戻した。異様な静けさであった。民家という民家は固く表戸を閉ざし、都大路には人影は疎《まば》らであった。都から出て行ったものは義仲の軍勢許《ばか》りではなかった。都は無人の街になっているといってよかった。

義仲の近江下向は夕方になってまた変った模様で、そうした動きは見られず、ただ院を警固する兵が今までになく増され、公卿《くぎよう》朝臣の参入も一切禁じられてしまった。十七、十八、十九の三日間は、毎日朝のうちは曇っており、午後になると晴れた。無人の都は終日ひっそりとしており、義仲の動静に関する風聞も全く聞かれなかった。議すべきことは既に議し尽してしまった恰好で、義仲の帷幕も亦ひっそりとしているということであったが、却《かえ》ってそれが不気味に思われた。

二十日は朝からひとかけらの雲もないほどよく晴れた日であった。早朝人から東軍が既に勢多《せた》に到着していることを知らされた。その噂を聞くか聞かないうちに、いま少からぬ軍勢が大和大路から都にはいって来ていると、別の人が報せて来た。勿論《もちろん》義仲の軍であろうと思っていたが、程なくしてそれが東軍であるらしいということが伝えられて来た。それが真実であるとすれば、いかに義仲軍が手薄であるとは言え、いかなるわけでこのようなことになったか、武人ならぬ余等には理解できぬことであった。それにしても、院の御身の上がいかになっておられるか、それを思うと、心は不安な思いでふさがった。

その後いっこうに雄叫《おたけ》びも馬の嘶《いなな》きも聞えず、合戦の行われている模様もなかった。そのうちに、今朝方義仲の兵らしい一団が六条河原を駈《か》け抜けて行くのを見たという者も出て来たが、果してそれが義仲の兵であるか、東軍の兵であるか、はっきりしたことは判らなかった。午後になって、院の御所の周囲を大軍が囲んでいるとか、その周辺に兵たちが何十かの集団となって屯《たむろ》しているとか、いろいろなことが伝えられたが、院のご安否のほどは全く判明しなかった。

夕刻になって、院が御所にいますことを告げ知らせてくれる者があって、すぐにも参院しようと思ったが、誰も御所内には入れられず、参院して行く者は一人残らず追い返されているということであったので、余は院に謁《えつ》することを思い留まった。公卿たちは二人三人と集って、そうした者たちが、互いに連絡をとって、不安な夜を明かした。この夜、入道関白基房卿が顕家卿《あきいえ》を使者として再度に亘《わた》って上書したが、二回共お返事は戴《いただ》けず、また摂政師家卿も顕家卿の車に乗って参入したが、忽《たちま》ちにして追い返されてしまったということであった。こうしたことは院の御意志ではなく、新しく都へはいって来た頼朝の代官九郎義経の措置であることは明らかであった。卿相等《けいしょう》がこのような待遇を受けたことは恐らくこれまでにないことであろうと思われた。義仲でさえ都にはいった当日、召されて参院し、院のお言葉を戴いているのである。それに較《くら》べると、こんどのことは院ならびに卿相等を全く無視した措置であって、公卿朝臣の一人残らずが前途に暗いものを感じないわけには行かなかった。

翌二十一日、昨日の合戦で義仲が勢多附近で東軍の兵の手にかかって討ち取られたことが判明した。余りにも呆気《あつけ》ない木曾殿の最期《さいご》であった。この日義仲の将樋口兼光《ひぐちかねみつ》の軍が河内で行家を破って都にはいって来たが、九郎義経の軍と合戦し、破れ、兼光は捉《とら》えられたという風聞があった。

二十二日にお召しあって急遽《きゆうきよ》参院、右大臣経宗《つねむね》、左大臣実定、皇后宮大夫《こうごうぐうのだいぶ》実房、堀川大納言、押小路《おしこうじ》中納言、左右大弁等が参入して控えていた。議定の開かれる前はみな口々に合戦のことを語ったので、義仲の最期についてそのあらましを知ることができた。東軍が都にはいって来た時、義仲は殆《ほとん》ど兵を持っていなかった。その兵は勢多、田原と二手に別れており、しかも行家を討つためにその勢を分け、義仲は単身都に留まっている形であった。そこへまだ何日も先きのことだと思っていた東軍の進攻があり、義仲としてはいかんとも手の降しようがなかったのだということであった。義仲はいったんは院中に参って、御幸《ごこう》を促して御輿《みこし》を寄せようとしたが、その時は既に敵軍が近くまで来ていて、周章した義仲は院を棄《す》て奉り、相従うところの兵三十余騎と共に、一矢《いっし》も射ず、近江へ落ちようとした。勢多の味方の軍に加わるために東を目指したのであろうが、阿波津野《あわづの》の辺りで討ち取られてしまったということであった。東軍の一番手は九郎義経の軍兵で梶原《かじわら》平三とかいう武将の由《よし》であった。法皇および法皇のお傍に居た面々は、危うく虎口《ここう》を免れたわけで、実に三宝《さんぼう》の冥助《みょうじょ》というべきであった。義仲は最後には京中を焼き払い、北陸道へ落ちる考えであったらしかったが、一戸をも焼かず、一人をも損せず、単身討たれるという結果を招いたのである。考えてみるに、義仲が法住寺殿を焼打ちして、天下をとってから六十日を経ている。余が十五、六歳の頃、信頼《のぶより》が三条烏丸《からすまる》の御所に火をかけ、院を一本御書所《いっぽんのごしょどころ》にお移しした事件があったが、その時信頼は三十日間天下をとり、その果てに誅《ちゅう》された。それに比すると、義仲の伏誅はなおその遅きを思わざるを得なかった。

その日の議定は、院が御下問になった五箇条について行われた。

一　左右なく平氏を討たるべきの処《そう》《ところ》、三神器かの手に御坐《おわしま》す。この条如何。兼ねて又公家の使者を追討使に相副《そ》えて下し遣すこと如何。

一　義仲の首、大路を通すべきや否《いな》や如何。

一　頼朝の賞如何。

一　頼朝上洛すべきや否やの事。

一　御所の事、他所に渡御《とぎょ》あるべきや否や如何。

各条について、多少考え方の違うところもあったが、大体に於《お》いて意見の一致を見ることができた。この日兼実卿は風病を称して不参、翌日院に召されて直接御下問を受けてお答えしたそうであったが、兼実卿の考えも亦、この日の出席者とほぼ同じであったようである。

神鏡剣璽《けんじ》のこと、これは追討とは別に切り離して考えるべきことで、その返還を求める使者を派遣すべきこと、但《ただ》し、御使を追討使に副えることは思わしくない。

義仲の首のこと、これは大路を通らせようと、通らせまいと、たいしたことではない。通らせて、いっこうに差しつかえないであろう。

頼朝の賞のこと、その要求を訊《たず》ねてやるという方法もあるが、要らないと断わられる恐れなしとしない。それよりこちらで考えて、それを申し送ってやるのが無難。その官位については、三品《さんぼん》に叙せらるるのが適当という者、それを過分と見る者、意見区々《まちまち》。

頼朝の上洛の件、一日も早く上洛するようその由仰《おお》せ出《い》でになるべきである。諾否の程は見当が付かぬが、こちらとしては使者だけはお遣しになっておく方が無難であろう。

御所の件、早々に他所に渡御あるべきである。但し、現在のところ八条院の御所のほかに適当と思われる御館《やかた》はない。

大体において以上のようなことを奏上した。

二十六日に義仲の首は六条河原に於て東獄門の前の樹《き》に懸けられ、兼光も義仲の首と一緒に都を引き廻され、二月二日に斬罪《ざんざい》に処せられた。

義経が平氏追討のために西国に向ったのは二十九日であり、二月の初旬、義経より飛脚があって、去る二月七日平氏と合戦、平氏は大将軍以下多く討ち取られ、重衡《しげひら》は生虜《いけどり》になったということが伝えられた。そしてその平氏の武将たちの首が都へ送られて来て獄門の樹に懸けられたのは十三日のことであった。

このあと暫《しば》くの間、義仲と気脈を通じていたと目される者の詮議《せんぎ》があった。前馬助季高《さきのうまのすけすえたか》、弾正大弼資泰《だいひつすけやす》朝臣等が義経の郎従に依って尋問され、身柄は院庁《いんのちょう》にお預けということになった。こうした独断に走らぬ措置は公卿朝臣たちには快く迎えられた。

四月十六日に改元、年号は元暦《げんりゃく》と改まった。この元暦の改元からこんどの文治の改元までの間に一年四カ月の日子があるが、この間のことについては、特に余が語らなければならぬことはないように思う。みなの者が知っての通りである。七月二十八日の後鳥羽帝のご即位、翌二年三月、詰まり今年の三月の西海における平氏一門の滅亡、安徳帝の崩御、七月の大地震、こうした中にあって、院は比較的お静かにお過しであったと拝する。世の中の出来事は、平氏の滅亡一つとっても容易ならぬことであり、それに対する御感慨にはなみなみならぬものがあり、ご傷心深いこともあったに違いないが、それにしても、院はご自身の周辺に久しぶりで風波のない時期をお持ちになったのである。

現在、院の義経に対するご恩寵《おんちょう》が度を過ぎるように言う者もあり、またそのことに対して鎌倉の頼朝の思惑が如何《いかが》なものであろうかと案ずる向きもあるが、それは杞憂《きゆう》というものであろうと信ずる。義仲の場合、院は義仲と頼朝の仲をお裂きになったと言えぬこともないが、併《しか》し、義仲をお憎しみになっておられた院の御措置としては当然なことであったと思う。現在の場合、院は義経をご寵愛になってこそおれ、いささかもお憎しみになっていらっしゃらぬのである。義経と頼朝との間に隙《すき》を作るようなことをお望みになる謂《い》われはいささかもないと思う。院におかせられても、もはや武門同士の争いにはすっかりお懲《こ》りになっていらっしゃる筈《はず》である。

左様、気にかかることを一つ挙げよと言うなら、親しい公卿朝臣たちとご酒宴をお開きになっていらっしゃる時、院はいつも決まって、一つの今様をお口誦《くちずさ》みになられることである。

神ならばゆらさららと降りたまへ
　いかなる神か物恥ぢはする

相手が若い巫子《みこ》であるので、物恥じしてか、神もなかなか降りて来ないという意味であろうと思われる。若い巫子を揶揄《やゆ》しているとも、神を揶揄しているとも受け取られ、遊宴の場の歌と言ってしまえばそれまでであるが、余は院がこの今様をお口誦みになるのを聞くと、心は不安な思いでふさがれて来る。歌詞の持つ意味より、それをお謳《うた》いになっておられる院のお顔が気にかかるのである。余自身なぜ気にかかるのか、その理由は判らぬが、院のお顔はどこかに少しだけ暗い陰をお持ちになって来、眉《まゆ》と眉の間がせまって深刻な思いつめたものも感じられて来る。自分が持っている考えはまだ誰にも洩《も》らしてはいない。洩らしてはいないが、自分が一つの考えを持っていることは確かなのである。だが、それをゆらさららと降ろすわけには行かぬ、恰《あたか》もそんなことでもおっしゃっているように、余には院のお顔が見えて来るからである。

第四部

十一日（建久九年正月）己酉天晴、コノ日譲位也《ナリ》、大炊御門《オオイミカド》ヨリ剣璽《ケンジ》ヲ閑院ニ渡サル、頭《トウノ》中将公経《キンツネ》璽ヲ奉ジ、右中将成定日ノ御座《ゴザ》ノ御剣ヲ持ツト云々、関白供奉、右大将同前、右大将已下《イカ》出仕ヲ見ル、公卿《クギョウ》大略《ホボ》供奉、ミナ浅履《アサグツ》ナリ、公卿ノ将三人ノ中《ウチ》、公経、兼良等ノ卿本陣ニ候《コウ》シ、公房卿前行スト云々、マタ公継卿壺《ツボ》ヲ負イ、自余ハ平胡《ヒラヤナ》籙《グイ》ト云々、先《マ》ズ旧主ノ宮ニ於《オイ》テ固関《コゲン》オヨビ節会《セチエ》等アリ、宣命使《センミョウシ》通資卿ト云々、上卿《ショウケイ》右大臣、新帝ノ宮ニ於テ蔵人《クロウド》一臈《イチロウ》重資逐電ノ間、数刻ニ及ブト云々、昇殿、勅授ノ拝、混合ト云々、マタ殿上人拝セズシテ退出ト云々、新帝、今旦《コンタン》先《マ》ズ博陸《ハクリク》ノ家ニ渡御《トギョ》、彼ノ宅ヨリ閑院ニ渡リ給《タモ》ウト云々、今日、二条内裏《ダイリ》上棟ノ間、工ト行事ト闘諍《トウソウ》シ、刃傷《ニンジョウ》殺害ニ及ブト云々、ソノ血、剣璽ノ幸路ニ流ル、事甚《ハナハ》ダ不吉ト云々

余は今日このように日録*に認《したた》めて、少からず憮然《ぶぜん》たる思いがあった。この度のご譲

位のことを初めて耳にしたのは降雪のあった六日のことであり、それに関しての風聞を何人かの人から聞いたのはやはり降雪のあった八日のことである。天下の事倉卒より起り、仰天せざるを得ない思いである。

日録の筆を初めて執ったのは十六歳、長寛《ちようかん》二年の夏である。爾来《じらい》三十五年、長い右府時代も、多忙に明け暮れた関白時代も、一日の休みもなく、その日その日の出来事万般を記述して今日に到《いた》っている。その間に六条、高倉、安徳、後鳥羽四帝のご即位あって、毎々受禅の御儀を、眼《ま》のあたりに見たまま、でき得る限り詳細に数百千字に認め来たったものである。それがこの度の御儀だけは、いかに詳しく書き記したくても、これ以上に詳しく記すことはできなかった。一昨年――建久七年十一月に関白職を停《や》めてから、院、内裏《だいり》へ参内する機もなく、閑居と言いたいが蟄居《ちつきよ》同然の身で、雲居の上のことは更に知る由《よし》もない。併《しか》し、このような立場に身を置いても、たまには訪ねて来てくれる公卿も少々はあり、そうした人たちの語るところに依《よ》ってこの二百余字の小文を綴《つづ》ることができたのである。

もともとこの日録は摂関家に生まれ付いた余が、余一代のことを記して家の歴史として後から生れて来る者へ遺《のこ》そうとして思い立って筆を執るに到ったものであり、故実典礼を誤りなく伝えることを第一の目的としている。それに加えて、廟堂《びようどう》の評議、覆奏《ふくそう》の諸事を載せ、詔書、宣旨《せんじ》、院宣《いんぜん》、除目《じもく》折紙、問注記をも洩《も》らさず、後代の参考に資せんとしたものである。余は今宵《こよい》初めて、こうした日録を綴る資格がもはや自分にないことを知ったのである。恐らくこの新帝ご即位の聞き書を最後として、余は再び日録の筆を執ることはないであろう。若《も》し筆を執ることがあっても、それは特殊な出来事にして書き残しておいた方がいいと思うことがあった場合で、これまで書き記して来たものとは頗《すこぶ》る趣を異にしたものになる筈《はず》である。

余が日録の筆を擱《お》いて、憮然たる思いに胸打たれたのは、併し、こうした事のため許《ばか》りではない。ふとこれまで書いて来た日録の記事に思いを及ぼし、果してあのままでいいであろうか、訂正すべきところはないか、そういった考えに突き当ったからである。このことは摂関の地位を追われた時よりも、氏《うじ》の長者たることを取り上げられた時よりも、遥《はる》かに強く余の胸には堪《こた》えた。日録の記事の中には、筆者である余の、時勢に対する慨歎《がいたん》も、事件や人の動きに対する批判も、余の言葉ではいっている。〝笑止、笑止〟とか、〝言語の尽すところに非《あら》ず〟とか、そうした言葉を拾って行ったら、恐らく算《かぞ》え切れないことであろう。何分三十五年の長い歳月に亘《わた》って書き記して来たものである。きのうまで時を得た生活をしていて、今日都を落ちて行かねばならぬ転変の運命に見舞われた武人にしても、平氏一門の者に限ってはいない。木曾《きそ》殿然《しか》り、九郎義経《よしつね》、行家然りである。院の御所に矢を射かけるような大逆事件さえ、相国《しょうごく》入道に依《よ》っても引き起され、義仲に依っても引き起されている。今日賊を追討する院宣を賜った者が、明日は立場を変えて賊の汚名を蒙《こうむ》るに到った例は一、二には止《とど》まらぬ。末世と謂《い》う以外仕方ない混乱の時代は長く続き、しかも現在なお終りにはなっていないのである。

世の中の事件の持つ意味はある歳月を経て初めて判然として来るものである。その事件の渦中《かちゅう》にあった人々の言動も、その真実の意味を知るにはある歳月を必要とする。余は己が綴った日録の記述を思い返してみて、果してそのままにしておいていいかどうか、こうした疑念に衝《つ》き当らざるを得なかったのである。

併し、この疑念は今宵初めて余を襲ったものではない。余は今年の正月元旦を薬師如来《にょらい》御前に迎えた。元日が日蝕《にっしょく》日に当っていたので、前夜より堂に籠《こも》って小行法を修し、薬師経七巻を転読したのであるが、暁の白い光が漂い始めて座を立った時、ふと日夜日録の筆を執っている己が所行に言い知れぬ虚《むな》しさを覚えたのであった。ふいに奈落《ならく》の底に落ち込んで行くような、軽い眩暈《めまい》を伴った虚しい思いであった。続いて八日、やはりこの日も薬師仏御前に於《お》いて七灯を燃やし、七巻を読んで夜に及んだが、行を修し終って座を立つ時、同じ思いに襲われたのである。

余はいまはっきりと己が綴って来た日録のある部分を破棄しなければならぬと思っている。数行或《ある》いは数文字を削除しなければならぬ箇所もあるし、何十行かに亘って、抹殺しなければならぬ箇所もある。若し余が綴った日録の類《たぐい》をも史書の中に加え得るなら、史書の筆を執ることも亦難《またかた》しと謂わざるを得ない。思うに己れを虚しくし、眼前を去来する出来事を、ただ正確を期することのみ念願して記述して行く以外、いかなる筆の執りようもない。事を誌《しる》す。ただそれあるのみである。怒りや悦《よろこ》び、憎しみや憂《うれ》えは、それを書かざるに越したことはないが、たとえそれに触れ、よしやそれが当を失したものであっても、さして問題にするには及ぶまい。慎しむべきは事件や事件に躍る人々に対する批判、解釈、黒白の判別である。己が綴って来た日録を思い返してみて、ある箇所はそれが今や真実を誤り伝えるものになっていることを知らざるを得ない。この末世に生起する転変極りない出来事の意味や、それに対する批判は、すべて後世の人に任すべきものなのであろうか。

いま何時頃であろうか。暁にはまだ大分間があるようである。新帝ご即位のことを日録に認めたあと取りとめない思いに耽《ふけ》ってから、いったん床にはいったが、眠れぬままにまた起き出して、古い日録の一部を取り出して、その頁をめくり始めて、いつか深更に及んでしまった。いっこうに睡気《ねむけ》はやって来ない。明日出仕しなければならぬ以前の自分とは違って、こうしたところは至極のんびりしている。このような境涯は恐らくもう自分がこの世を去る時まで変らないであろう。鎌倉の頼朝卿《よりともきょう》がある公卿を介して、近く京に上って、世の事沙汰《さた》せんと思うと、余に伝えて来たのはつい先頃のことである。頼朝卿はその折よろずの事が〝存じの外〟であると口に洩らしておられたと聞いたが、果して〝存じの外〟の事であるかどうか、余にはその辺のことは判《わか》らぬ。存じの外であろうとなかろうと、こんどの新帝ご即位のことに依って、既に総《すべ》ては決まってしまったのである。沙汰しようというが、いかなる事を沙汰しようというお考えであるであろうか。

いまの余には、頼朝卿の言われることにさして信を置く気持はない。また頼朝卿がそのようなことを言われたというが、果して実際にそのような言葉を口に出されたかどうか、その事を余に伝えた公卿の言葉をも亦、余は必ずしも真に受けてはいないのである。

建久七年の十一月に余が関白を罷《や》めると同時に、中宮（任子《たえこ》）は宮中から退き、弟慈円も亦天台座主《ざす》の地位を離れ、＊わが九条家一門を悲運が見舞ったが、こうしたことが丹後局《たんごのつぼね》と通親《みちちか》卿の二人だけの策謀に依って行われたとは考えられない。亡《な》き後白河院晩年の寵妃《ちょうひ》であった丹後局が、院との間にもうけられた皇女宣陽門院とその所領を背景として宮中にいかに大きい勢力を持っていようと、また通親卿が故院の近臣として重きをなし、多くの公卿たちを傘下《さんか》に収めていようと、鎌倉の同意なしには為《な》し得ないことであった。頼朝卿も事前にこのことあるをご存じで、一切がそれに同意されての上のことであることは疑う余地がない。これは余一人の考えでなく、世間一般のこの事件に対する見方である。頼朝卿とて殊更《ことさら》に余の失墜を希《のぞ》まれる筈はなく、丹後局、通親卿が廟堂の中央に出ることを悦ぶ気持を持っておられる筈もないが、余を支持して、丹後局や通親卿と争うより、余を見殺しにしても、丹後局や通親卿と結ぶ方が、当時の頼朝卿にとっては必要だったのである。鎌倉にとって必要だったのではなく、頼朝卿ご自身にとって必要だったのである。世上やかましく取沙汰されているように、頼朝卿は大姫《おおひめ》*の后妃入内《じゅだい》を希まれており、それが実現のためには余の失墜など顧みてはいられなかったのである。

建久元年十一月に頼朝卿が初めて上洛《じょうらく》し、六波羅の新造の邸《やしき》にはいられた頃に較《くら》べると、僅《わず》か十年足らずの間に時代はすっかり変り、頼朝卿ご自身も変ってしまわれたのである。と言って、余は些《いささ》かもいま頼朝卿に対して恨みがましい気持は持っていない。ただ嘗《か》つて余が源氏の棟梁《とうりょう》に対して懐《いだ》かされた期待がいつの間にか跡形もなく消えてしまったことを惜しく思うだけである。相国入道が希まれたことを、頼朝卿も亦希まれ、相国入道が歩いた道を、頼朝卿も亦歩まれ始めたというだけのことである。公卿と武門の両者が、それぞれの立場から朝廷を補佐し奉《たてまつ》り、それぞれが分を弁《わきま》えて争うことのない時代が、大きい武力を背景とした頼朝卿の力に依って或いは到来するのではないかといった思いを余は持っていたのである。そしてそうした新しい時代は後白河院の御代《みよ》の終焉《しゅうえん》と共にやって来る筈であったのである。建久元年の上洛の折、頼朝卿はひそかに語られたことがある。その言葉はいまも余の耳に生々しく残っている。

――現在は法皇天下の政《まつりごと》を執り給《たも》う。仍《よ》って先ず法皇に帰し奉るなり。天子は春宮《とうぐう》*の如《ごと》きなり。法皇のご万歳の後、また主上に帰し奉るべし。

そして、続いて頼朝卿は言われたのである。

――余は現在若年、ご尊家また余算なお遥かなり。頼朝また運あらば、政の何ぞ淳素《じゅんそ》に返らざらん哉《や》。今は偏《ひと》えに法皇に任せ奉るの間、万事叶《かな》うべからず。

余は頼朝卿のこの言葉を聞いて、武門というものをも、武門の政権というものをも、それまでとは全く異った見方をするようになったのである。長い間あらゆる動乱の根源となって来た院の政は、後白河院の御代に依って終りを告げ、天下のことは主上おひとりがしろしめす世に返り、公卿は公卿として、武門は武門として、それぞれに分を守って、その職に任じ、泰平の御代を招来することができるかも知れないと考えたのである。

後白河院が崩御遊ばされたのは建久三年三月十三日、頼朝卿の上洛から僅か一歳《ひととせ》半あとのことである。併し、院の崩御は余が考えていたような新しい時代の招来を意味するものではなかった。院がお亡くなり遊ばすや廟堂には小人共が跋扈《ばっこ》するようになり、それをいかようにも取り仕切る力を持っている頼朝卿自身も初めの志を失われるに到ったのである。

人間というものはその時々に依って変って行くものである。余が認め来った日録に名を列《つら》ねる人々は何百人に及ぶか見当すら付かないが、いずれもその時々に依って、異った生き方を見せている。平相国入道に対して見せた同じ笑顔を、木曾殿にも、九郎義経にも、そして今また頼朝卿にも見せている。

変らないのは僅かに吉田（藤原）経房《つねふさ》卿ぐらいであろうか。併し、経房卿でさえ変っているかも知れない。人となり公正にして、操守あり、後白河院に仕えて卿ほど二心ない人物はないと言われたが、頼朝卿の知遇を得て、議奏に薦《すす》められ、今は頼朝卿に対しても亦二心ないと言うべきである。院の晩年は院のお味方と言うより寧《むし》ろ頼朝卿の意を体して動いたと見るべきではないか。余は一時期、院に対する向い方において、この人物の指弾の的になったが、このような時代になると、時に卿自身の心境を訊《き》きたいと思うことがある。

若しもこの世に変らない人があるとすれば、それは後白河院であらせられるかも知れない。左様、後白河院だけは六十六年の生涯、ただ一度もお変りにならなかったと申し上げてよさそうである。後白河院だけはお変りにならなかった。院だけは確かにお変りにならなかったのである。

どれだけの時刻が経《た》ったであろう。余は先きほどから文机《ふづくえ》の前に坐《すわ》ったまま、火桶《ひおけ》一つ横において、ひしひしと身に堪《こた》えて来る寒さに体を震わせながら、院をめぐるとりとめない思いの中に心を投げ込んでいる。いつまでもこのまま院の御事をお偲《しの》び申し上げていたい気持である。未《いま》だ嘗《か》つてこのような思いに浸ったことはない。

院だけはお変りにならなかった。いつか一度ぐらいお変りになったことがあってもよさそうである。そう思って、その長いご一生をあれこれお索《さぐ》りしてみるが、院はいつも院だけのお顔をしていらっしゃる。追従者《ついしょうしゃ》には温く見え、その他の者には冷たく見えるあのお顔を、いついかなる時にもお変えになったことはない。

余には院のお顔も、お肩も、お背も、みな冷たく見えた。ついと突き放してお寄せつけにならぬ、何とも言えぬ意地のお悪い冷たさであった。追従者や近臣の者たちには常に屈託ない態度をお示しになっていらしったが、その他の者には例外なく院という御方は冷たく感ぜられたことであろうと思われる。相国入道にも、重盛卿にも、木曾殿にも、そしてまたご寵愛深かった九郎判官にも、ひとしく例外なく院は冷たいお顔を見せていらしったのである。院だけは相手に依って表情をお変えになることもなければ、お気持の内をお変えになることもなかった。ただ口からお出しになる言葉だけを、方便として、その時々に依ってお変えになっていらしったまでのことである。

余が院をお恨みしていた時代は長く続いている。何回か当然氏の長者ならびに関白たるの御沙汰あるべき期《とき》に遭いながら、余は右府として二十年余の歳月を過している のである。相国入道が亡くなられる前後からは院に参入することも少く、廟堂《びょうどう》の評議にも兎角《とかく》不参勝ちで、その点世上に兎角の評が行なわれたことは当然であり、余も亦それを知らぬではなかったが、余は院を取り巻く公卿朝臣たちの醸《かも》し出す廟堂の軽佻《けいちょう》浮薄《ふはく》な空気に堪えられなかったのである。またそれを格別お咎《とが》めにもならぬ院の態度を拝するのが心に添わなかったまでである。そうした余に対して、時に院がお含みになることがあったとしても無理からぬこととしなければならぬ。

余が氏の長者ならびに関白たり得たのは頼朝卿の推輓《すいばん》に依るものであり、院の御心から出たことではない。院はご在世中ずっと余に対しては釈然たらざるものをお持ちになっていらしったことであろうと拝察する。余は院の長い御一生の間、結局は常に批判者の立場にあって、院のお味方たり得なかったが、それは今にして思うと、院が一生お持ち続けになった一つのお顔を理解できなかったためである。そのことが今はっきり判るような気がする。

有体《ありてい》に申し上げれば、院はそのようなお顔をお持ちになる稀有《けう》な天子として、この世に生をお享《う》けになったのである。院の政の時代に生れ、その弊についてお気付きになっておられたとしても、御自分も亦そうしなければ、外戚《がいせき》の公卿朝臣たちをお押えになることはできなかったのである。また武門の興隆、武家の政への容喙《ようかい》も、院のご責任とは申し上げられぬ。武門の擡頭《たいとう》は一朝一夕の準備にして成ったことではない。たまたまそのような時代に院はお生まれになり、帝位にお即《つ》きになったまでのことである。

院はご即位の日から崩御の日まで、ご自分の前に現れて来る公卿も武人も、例外なくすべての者を己が敵としてごらんにならなければならなかったのである。誰にも気をお許しになることはできなかった。この兼実にも亦、心はお預けにならなかったのだ。己が女《むすめ》の后妃入内を希むような余の性格の一面を、院はとうの昔にお見抜きになっていらしったのであろう。

余が院のお考えに真向から反対したのは文治《ぶんじ》元年十月、頼朝卿追討の宣旨を降《くだ》された時のことである。ついこの間のことのように思われるが、既にその時より十四歳を経ている。日録の頁を繰れば当時のことは仔細《しさい》に記録されてあるが、宣旨を降された前夜、院の御使として大蔵卿泰経《やすつね》が余の宅に来て、頼朝卿追討の宣旨を降されることの可否を質《ただ》された。義経は初め必ずしもこれを望んではいなかったが、行家が叛《はん》を謀《はか》り、今やそれを制止することのできない立場に立ち、義経も亦《また》それに同調しようとしている。そして院宣を賜らんことを望み、若《も》しご許可なければ御身をお預りして鎮西《ちんぜい》に向う決心であると院に奏上した。その義経の気色《けしき》のただならぬのを見れば、主上、法皇、文武百官、悉皆《しっかい》引き連れて下向しかねない様子である。これに対して如何様《いかよう》に沙汰あるべきかという院からのお訊《たず》ねであった。そう泰経卿は言った。

余はお答えした、宣旨は罪八逆*を犯し国家の敵となっている者に降すべきものである。頼朝にこの罪科あらば降し、罪科なくば降すべからず。平家の場合、義仲の時も、叡念《えいねん》より出たことではないにしても、度々追討の宣旨をお降しになり、ために天下乱逆、重々このことをお考えになって聖断あるべきであろう。型通りのお答えであったが、余は既に院の御心は院宣を降すことに決まっており、事前に一応余にも謀ったという形を整えておくためのお質《たず》ねであると考えていた。

果して翌十八日、頼朝卿追討の宣旨は降された。――従《じゅ》二位源頼朝卿、偏《ひと》えに武威を耀《かがやか》し、已《すで》に朝憲を忽諸《こつしょ》にす、宜《よろ》しく前《さきの》備前守源朝臣行家、左衛門少尉《しょうじょう》同朝臣義経等、彼《か》の卿を追討すべし。

甚だ意気揚がらざる奇妙な追討の宣旨であった。

この院宣に就いて直接院の御相談に乗ったのは左府経宗《つねむね》、内府実定《さねさだ》両卿であると聞いた。左府は義経の申し請《こ》うに任せて沙汰あるべきで、更に議定《ぎじょう》に及ぶべからずと奏し、内府またこれに同じたという。その場に居合せた経房卿がひとり反対意見を述べたが取り上げられなかったということであった。左府内府が院宣を降すことを主張したのは、院のお考えがそこにあったからである。

叛乱者たちが兵を集めているが、思うように集って来ないという噂《うわさ》を聞いたのは二、三日経ってからのことである。近江《おうみ》の武士の如きは義経に与《くみ》せず奥の方へ引き退《の》いたとさえ伝えられた。院宣降下のことが巷《ちまた》に伝わって都は上下騒然、合戦を避けるために近郊へ避難する者の姿があちこちに見られた。

大蔵卿泰経が再び院の御使として見えたのは廿五日《にじゅうご》のことであった。使者を頼朝卿の許《もと》に派したいが、義経等に知られた場合は大事になる恐れあり、如何に為すべきかというお訊ねであった。余案ずるに宣旨を降して近国の武士を狩り集めようとしたが、その多くが承引せず、事志に相違して、忽《たちま》ちこのような仕儀に相成ったのである。追討の宣旨を降されておいて、何日も経ずして、こんどは和平の儀を仰《おお》せ遣わされんとする、また何をか言わんやである。余はお答えした。頼朝卿は勅使をお受けしないであろう。たといお受けしないでも押して遣わすべきかも知れない。が、勅使を遣わそうと遣わすまいと、恐らく頼朝卿の忿怒《ふんぬ》には差別ないであろう。孰《いず》れにせよ、今回のこと甚だ首尾相応せずと言うべきで、総じて愚意の及ぶところに非《あら》ず。冷淡なお答えであったが、余としても他にいかなる奏上もできなかった。

泰経卿はその儘《まま》帰って行ったが、帰る時密《ひそ》かに余に言った。法皇は天下をしろしめすべき御器ではない。法皇が天下をお治めになってから乱逆は絶えない。今後も絶えないであろう。余は言った。法皇が天下をしろしめさずして、誰がこれを行うであろう。泰経卿は言った。臣下が議奏すべきである、と。そこで余はまた言った。そうしたことはすべて実行は難しい。ただ法皇の御力を以《もっ》て、天下の混乱を直さるべきである、と。

その翌日、ある人から、義経等が明暁《みようぎよう》鎮西に引き退くことに決定、法皇以下の公卿朝臣等も引き連れようとしているという報《しら》せがあった。必ずしもそれを信じるわけではなかったが、そうした怖《おそ》れがないわけではなく、万一を慮《おもんぱか》って、余は女たちを法性寺《ほつしようじ》附近の堂へ移らせた。

一夜明けても、義経等が鎮西に赴く様子はなかったが、きのうからの巷説《こうせつ》はなお止《や》まず、余のところには何人かの人から報せがあり、言うところは区々《まちまち》であった。法皇をお連れするということは義経の心から出たことではないが、郎従等が頻《しき》りにそれを主張しているということであった。院を具し奉る場合は公卿朝臣等尽《ことごと》く引き連れ、院を具し奉らぬ場合は、何人も引き連れて行かないだろう。が、その孰れとも決めかねている。そのような噂もあった。

それから二、三日の間、数々の風説縦横に流れ、孰れを真とも定め難かった。或《あ る》いは義経等鎮西へ下向すると言い、或いは北陸へ引き退くという。また摂州の武士等城廓《じようかく》を構え、西海に赴く義経等を討たんとしているという風説もあれば、九郎の所従等船を点定《てんじよう》せんために先きに西へ向ったが、土地の武士のために討たれてしまったと伝える者もあった。また法皇の他所への臨幸近しと聞いて、昨夜摂政《せつしよう》基通卿逐電して跡を晦《くら》ましたが、その噂の実ならざるを知って今日姿を現したと言うようなことも言われた。摂政でさえこの態《てい》たらくなので、巷の混乱は言語に絶し、京に住む男女の大部分はこの二、三日の間に都から脱け出したのではないかと思われた。

こうした混乱の中に十一月を迎えたが、義経等は依然として都に留まっていた。定《さだ》能卿《よしきよう》の使いとして得業《とくごう》玄秀が余のところへやって来たのは一日の夜であった。いかなる場合も法皇等を具し奉るようなことはしないということを、義経から再三言上あったので、このことはそのまま信じていていいであろう。そういった定能卿からの報せであった。そして、義経の言上とは別に、或いは遷都《せんと》があるかも知れないという風説が流れていることを伝えて来た。

二日に院の御使として右少弁定長《さだなが》がやって来た。明暁義経は鎮西に向うことになった。それについて、義経は九州諸国の、行家は四国の調庸租税、年貢《ねんぐ》雑物等を取り仕切る権限を賜ることと、院に召されて都に留まっている豊後《ぶんご》の武士たちを傘下《さんか》に収めるご許可あること、この両条を仰せ下されんことを求めて来た。これに対しいかに為《な》すべきか、こういうお尋ねであった。余は言った。頼朝卿を追討すべき宣旨は既に降されてしまっているのである。その上はいまお尋ねの件など些細《ささい》なことである。議定に及ぶにも当るまい。ただ申し乞《こ》うに任せて、そのご沙汰あって然《しか》るべきであろう、と。言わずもがなの返奏であったが、余には院が既にご許可になることを心にお決めになった上でのお訊ねであるに違いないと思われた。果してその夜、院宣を義経等に賜ったということを、人伝《ひとづ》てに聞いた。

翌日辰《たつ》ノ刻（午前八時）、義経、行家等は西海に赴くべく都を出た。同勢二百人。都を発《た》つに当って狼藉《ろうぜき》の所行全くなく、京中悉《ことごと》く以て安穏、公卿朝臣等を初めとして洛中《らくちゅう》の男女随喜せざるはなかった。若し一時の風聞の如くであったなら、王侯卿相《けいしょう》一人として身を全《まっと》うする者はなかったであろうと思われた。

それから二、三日の間、義経等の動静についての風評が頻りであった。義経等は道を阻《はば》む太田の軍と闘って勝ち、一同室《むろ》から乗船したとか、乗船間際《まぎわ》に引き連れて行った豊後の武士たちに依《よ》って誅伐《ちゅうばつ》されたとか、或いは室から海に浮かんだが、船は逆風のために沈んだとか、いろいろのことが言われた。余は義経に対しては単純ならざる気持を持っていた。義経の武勇と仁義は後世に到《いた》るまで称《たた》うべきものであると思った。ただ頼朝卿に対して謀反《むほん》の心を起したことは何と言っても咎めなければならぬことであった。その解纜《かいらん》安穏ならざるを真とすれば、仁義の感報すでに空《むな》しと謂《い》うべきであろう。そのような思いを持った。

確か義経等が淡路の国に渡ったという報を得た同じ九日の夜であったと記憶する。余は人伝てに、院より頼朝の許へ御使を遣わされることになったということを聞いた。

経房卿、光長朝臣、定長卿等が相謀り、このことに決まったということであった。余にも亦結局はそのようにする以外仕方ないであろうと思われた。ただ御使に携行させる院宣の内容については慎重を極めたものであって貰《もら》いたかった。併《しか》し、あとで判《わか》ったことであるが、院は既にその前日、頼朝の近臣である若宮の別当丸を鎌倉へ使者としてお立てになっていたのである。御定《ごじょう》の趣は院御自身以外誰にも判らなかった。こうした措置に出られるところは、お褒めすべきか、難じ奉るべきか判らない。ただ院らしい素早い為さり方とでも申し上げる他ないように思われた。いざという時になると、卿相朝臣の誰にもお謀りになることなく、電光石火、あっという間に、誰もができぬことを、ご自分のご一存でおやりになってしまうのである。余は長い間、絶えて院から御使を戴《いただ》くようなことはなく過した。それが、こんどの義経に関することでは度々〝如何《いかが》なすべきか、よく計り奏せよ〟という宣旨を拝した。一回や二回ではない。併し、計り奏しようと奏しまいと、その時は既に院のお考えのお決まりになっている時なのである。一体、院は何のために余にお謀りになったのであろうかと、お恨み申し上げないわけには行かなかった。

間もなく余は意外なことを耳にした。それは頼朝卿追討の宣旨を降される時、余が院のお訊ねに対してお答えした申状《もうしじょう》が、まことに道理を存するものとして、世上あれこれ噂されているということであった。どうしてそのようなことになったか、余には判らなかった。頼朝卿追討の院宣を降すことに反対したのは経房卿と余の二人であり、その間の事情を知っている経房卿でも何かの折、余の申状のことに触れ、それが誇大に喧伝《けんでん》されて、世間で取り沙汰されるような結果になったのかも知れぬ、そのようにでも考えるほかはなかった。

やがて、義経、行家等を召捕るべしの院宣が降されたが、この時は余には院からのお訊ねはなかった。

――院宣を被《こうむ》るに称《いわ》く、源義経、同行家、反逆を企《たく》らみ、西海に赴くの間、去る六日大物《だいもつ》の浜に於いて、忽ちに逆風に逢《あ》うと云々《うんぬん》、漂没の由《よし》、風聞ありと雖《いえど》も、亡命の条、狐疑《こぎ》なきに非ず、早く有勢武勇の輩《やから》に仰せて、山林川沢の間を尋ね、日ならずその身を召し進ぜしむべし、当国の中、国領に至っては、この状に任せて遵行《じゅんこう》せしめ、庄園に於いては、本所に触れて沙汰を致す、事是《こ》れ厳密なり、曾《かつ》て懈緩《かいかん》すること勿《なか》れ、院宣此《かく》の如《ごと》し、これを悉《つく》せ――

余が見たのは、大宰権帥《だざいのごんのそつ》経房の名で和泉守行輔《いずみのかみゆきすけ》の許に遣す状であったが、諸国に降される御教書《みぎょうしょ》も亦斯《か》くの如きものであるということだった。

和泉守にしても、昨日は頼朝卿を討つべき宣旨を蒙《こうむ》り、今日またこの院宣に預るわけである。世間の転変、朝務の軽忽《きょうこつ》、これを以《もっ》て察すべきである。〝弾指すべし、弾指すべし〟と余は日録に認《したた》めた。

　間もなく頼朝卿入洛の噂が都に流れた。既に頼朝大軍を率いて足柄山《あしがらやま》を越えているとも言われた。院の御使若宮別当が美濃《みの》ノ国で上洛途上の頼朝卿と会ったというようなことさえも、まことしやかに伝えられた。こうした風評と共に、入洛の武士たちの気色大いに怖《おそ》れありとか、天下乱れること必定とか、法皇のご身辺のこと極めて以て不吉とか、京の公卿朝臣たちの顔色を変えさせるようなことがあちこちで囁《ささや》かれた。そしてこうした噂を裏書きするように梶原《かじわら》代官が院の分国である播磨《はりま》の国に下向して、小目代《しょうもくだい》の男を追い出し、倉庫に封印するという事件を起した。

　都の上下尽《ことごと》く色を失っている時期のある夜、公卿の一人が余の宅に来て、法皇が口からお出しになったという言葉を余に伝えた。――世間のこと、今に到っては、帝王と雖も、執柄《しっぺい》と雖も、恥辱を遁《のが》れることはできない。このようになったのは、つらつら思い考えるに、偏《ひと》えに朕《ちん》の運報の尽きたためである。頼朝の忿怒なみなみならぬものがあると聞いている。頼朝は摂政などの言うことは一切受け付けず、右府兼実は賢相の聞えあるので、兼実に一切を取り仕切らせると言っているという風聞もある。今になっては朕の力の及ぶところではない。頼朝からそのことを聞かない前に、右府に天下を沙汰せしむるのが穏便である。

　このようなことを側近の者に口走られ、院は摂政の邸《やしき》へお使を差し向けられたということであった。余はそれを聞いて、それが真実なら、法皇も初めてお眼が覚められたかという思いを持った。法皇、摂政は相似たる君臣である。摂政は疎遠《そえん》不得心の愚《ぐ》翁《おう》、朝の柄《へい》を執る器ではない。口にこそ出さなかったが、余は心の中でそう思った。自分がそれに代りたいわけではなかったが、まだ自分の方が世の混乱を処理する見識を持っているという気持があった。

　頼朝卿上洛の噂は毎日のようにあちこちで囁かれたが、結局頼朝卿は上洛されなかった。義経、行家等の退散を知って、上洛を取りやめ、頼朝卿が帰国したという報が京へ届いたのは十一月二十三日であった。このような情勢の変化で、院のお気持はまた変ったようであった。余には摂政のお沙汰どころか、大小の政務について、その後は何のお訊ねもなかった。

　この頃余は大蔵卿泰経の許《もと》に届いたという鎌倉からの書札の話を伝え聞いた。泰経卿は御所に参入して留守だったので、その由を使者の武士に伝えると、武士は大いに怒って、文筥《ふばこ》を中門の廊下に投げ棄《す》てて姿を消してしまったという。その文筥の中には院が先きに頼朝卿にお送りになったものに対する頼朝卿からの返書がはいっていた。

書状には頼朝卿追討の院宣を出したことに対する院の弁明を、一つ一つ烈《はげ》しい文字で難じ、最後に〝日本国第一の大天狗《おおてんぐ》は更に他者に非ず候《そうろう》歟《か》〟という言葉で結んであったということであった。

余はそれを聞いて、畏《おそ》れ多いことではあるが、日本国第一の大天狗とはうまく謂ったものだと思った。確かに院は他に比肩《ひけん》する者のない日本国第一の大天狗であるに違いないと思われた、義経の事件が次第に鎮《しず》まって行くと、余は依然として名許《なばか》りの右府の地位にあって、遠くから大天狗のなさることを見奉っている以外仕方なかった。

併し、今宵《こよい》、余は日本国第一の大天狗こと亡《な》き後白河院に対し奉って、当時とは違った気持を持っている。院のただ一つしかお示しにならなかったお顔を眼に浮かべていると、院というお方がまるで違ったお方として見えて来る思いである。

どうして今までこのようなことが判らなかったのであろうか。院はもともと誰をもお恃《たの》みにはなってはいらっしゃらなかったのである。頼朝卿に追討の院宣を降された時でもおひとりで考えてなされたが、おひとりで考えてなさる以外仕方なかったのである。あの場合何びとが院のお立場に立って差し上げることができたであろう。古代から伝えられて来た政《まつりごと》をしろしめすお立場は院おひとりだけのものであり、それはご自分おひとりでしかお守りになれないものであったのである。

いま余にはよく判る。院は余の許に御使者を出されたが、余がお返事申し上げることは既によくご存じになっていらしったのである。よくご存じになっていらしった上で、そのことを余に余の口からお出さしめになろうとなさったのである。院はあの時将来頼朝卿に自分の味方と思わせるような公卿をお作りになっておく必要をお感じになっていられたのである。そして余兼実を、そのような役目を果す公卿としてお選びになられたに違いない。あの事件の直後、余の申状が道理あるものとして世上で兎《と》や角《かく》沙汰されたが、余の申状がどのようなものかを世間にお触れになったのは、他の誰でもなく、院ご自身であらせられたに違いないのである。それがいまの余にはよく判る。

院はそのように万一の場合に対する措置をご配慮になった上で、義経にあのような院宣を出されたのである。義経に強要されてお降しになったのでなく、あの院宣には院の偽らぬお気持がはいっていたとみるべきであろう。院は義経をして頼朝をお討たせになりたかったのである。そしてまたそれができると、お考えになっていたのに違いない。併し、事情は院のお考えのようには進み展《ひろ》がらなかった。院は己が運勢が尽きたと口からお出しになられたと聞いたが、そのお言葉だけはその時の院の本当のお気持を現したものと言っていいであろう。

今にして思うと、余はその後頼朝卿の推輓《すいばん》に依って、まさに院がお考えになったような役目を果すことになったが、頼朝卿の推輓に依るという考え方も、恐らくは正鵠《せいこく》を射た言い方ではあるまい。余を廟堂《びょうどう》の中央に据えたのは、とうの昔、院がお企らみになっていらしったことが、その通りに運ばれたに過ぎないのである。経房卿の場合も亦《また》、同じことであろう。

ただ、余は頼朝卿の味方ではあっても、必ずしも院のお味方ではなかった。その意味では院の御心に添い奉らなかった。今はただ院にお詫《わ》びしたい気持が頻りである。

このような今宵の余をごらんになっても院はお顔をお変えにもならなければ、御心の端を動かされることもないであろう。鎌倉と提携し、社稷《しゃしょく》を空しくしなかったことだけで、朕は汝《なんじ》に対して満足している。もともと、頼朝追討の院宣の後始末を託しただけのことで、それ以上のことを期待していたわけではない。汝が如き者に何を望もうか。朕は朕の生命ある限り、頼朝を征夷《せいい》大将軍に任ずることは拒み続けたのだ。汝がいくら中に立って奔走しようと、朕はそれを拒み続けたではないか。

そういう院のお声が聞えるような気がする。確かに院は頼朝卿があれほど望んでいた征夷大将軍たることを、ついに御生前にはご許容にならなかったのである。他のことでは頼朝に敗れたが、このことだけは自由にさせない、そのような御気概があらせられたのである。

院はご自分を取り巻く誰にも心をお預けにならなかった。それは院がお生れながらにして持たれたご性格であるというより、そのようなお立場に立つことを運命付けられた稀有《けう》な天子であらせられたのである。保元以来四十年天下をお治めになり、その間に為義、忠正、頼長、信西《しんぜい》入道、信頼、義朝、西光法師、成親《なりちか》、俊寛僧都《しゅんかんそうず》、頼政、以仁王《もちひとおう》、それから数多くの平氏の公達《きんだち》たち、あるいは義仲、行家、義経と、院の御前に現れた公卿武人を算《かぞ》えたら算え切れない数に上るが、いずれも非業《ひごう》な最期《さいご》を遂げている。その中には院にお味方した者もいるが、多くは院と対立関係にあった者たちである。武人という武人は一人残らず院にとっては敵と言うべき存在だったのである。院はそうした武人や公卿たちとお闘いになり、正しく言えばただひとりでお闘いになり、結局はお勝ちになったのである。そうした中で多少でも別の見方をしなければならぬ者があるとすれば、それは信西入道ぐらいであろうか。

余が兵部卿《ひょうぶきょう》平信範《のぶのり》から保元平治の動乱について話を聞いたのは、仁安元年のことか、あるいは仁安二年のことか。いずれにしても三十年以上の昔のことになる。兵部卿が他界してからも既に十一年、まだまだいい時に卿はこの世を去ったと言うほかない。

兵部卿の話を聞いていて、余は信西入道だけに異様な関心を持ったのを記憶している。保元の動乱後における新政の担当者としても興味があったし、殆《ほとん》ど信じられぬようなあっけないその最期にも興味があった。どこかに理解し難いものがあった。そして理解し難いままに後年に及び、今日に到ったのである。

余が信西入道の蔵書を眼にしたのはつい二、三年前のことである。経学、史学、文学、法学、それぞれ和書、漢書、――天文に関する書物まで、全部では夥《おびただ》しい数に上っている。「本朝世紀」「法曹《ほっそう》類林」なる稿ありと聞いているが、この方はまだ披見《ひけん》する機を持っていない。余つらつら惟《おも》うに、信西入道は元来学問の徒であり、学者として生涯を過すべきであったのであるが、運命の戯《たわむ》れと言うか、廟堂の中央に立つようなことになってしまった。そして黒衣の宰相として己が信ずることを、宣旨、院宣の形で打ち出して行ったのである。天下の政はかくあらねばならぬという信念も持っており、またそれを実行に移す熱意も才覚もあった。ただそれを求むるに余りにも急にして、あの悲劇を招かざるを得なかったのである。院の御一生にわたって御前に現れた夥しい数の公卿武人たちの中で、信西こそただ一人の純粋なものを持っていた人物ではなかったか。今夜の余には信西入道がなぜ自らの生命を断ったかが判るような気がする。兵部卿が話していたように、恐らく信西を倒そうと事を運んだのは信頼ではなくて、院御自身であったに違いない。信西入道は事件で大和に逃れ、そこで院の御心が自分から離れていることに気付いた時、ふいに入道から憑《つ》きものが、院という憑きものが落ちたのである。己が栄達と権力だけを求めていた者なら、生きようともし、再起を図ろうともしたであろう。入道の場合はそうではなかった。院の御心が離れたと知った時、入道の夢は毀《こわ》れたのである。自分が情熱をもってやってきたことの意味がふいに判らなくなったのである。

院がいつ信西入道をお離しになったか知らないが、併し、入道に対してそういう態度をおとりにならねばならなかった院のお気持も、今夜の余にはよく判る。院は信西自身さえ気付いていなかった信西という人間の持つ不気味なものにいち早く勘付かれ、それをお遠ざけになったのである。院は信西入道を誰よりもお信じになり、お恃みになっており、そしてその上で、やはり信西入道にご警戒にならねばならぬものあるを見ておとりになったのである。恐らく院のお考えは正しかったと思う。信西入道があのまま長く廟堂に坐《すわ》っていたら、入道が好むと好まないに拘《かかわ》らず、国の動乱を惹《ひ》き起すもととなったことは必定である。ただそういうことはつゆ考えたことなく、院の御心が離れたことで死を選んだ信西入道は、やはり悲劇の人と言うほかはあるまい。信西入道さえ警戒なさって、将来の禍根をお断ちになったくらいであるから、他の公卿や武人たちをお許しにならなかったのは当然のことである。院はそうした輩とお闘いになって、みなお倒しになった。一人残らずお倒しになった。御寵愛《ちようあい》深かった義経卿さえやはりお倒しにならなければならなかった。頼朝卿をお倒しになれなかったことだけが、院にとっては、さぞお心残りのことであったろうと思われる。

院が六条西洞院《にしのとういん》の宮にて崩御遊ばされたのは建久三年三月十三日寅《とら》ノ刻（午前四時）であった。御年六十六。前年の初冬より御悩萌《ごのうきざ》し、遂《つい》に帰泉遊ばされた。お亡くなりになった時、手は定印《じよういん》を結び、面《おもて》は西方にお向けにならず、巽《たつみ》の方にお向けになっておられ、お顔の下半分には微笑を漂わしておられたと聞いた。その御所領処分*についで予《あらかじ》めご遺詔《いしよう》があったが、その宜《よろ》しきを得たことは実に見事と申し上げるほかはなかった。余はその時日録に、〝今法皇、遺詔に於て、已《すで》に保元《ほうげん》の先蹤《せんしよう》に勝《まさ》ること百万里、人の賢愚得失まことに定法無きことなり〟と認《したた》めた。これまでの余は院に対して多くの取り返しのつかぬ誤りを冒して来たが、これがただ一つの誤りならざることであったと言い得ようか。

注　解

ページ

五　＊世の移り変り「保元元年七月二日、鳥羽院ウセサセ給ヒテ後、日本国ノ乱逆ト云フコトハヲコリテ後武者ノ世ニナリニケルナリ」と慈円（1155—1225）は『愚管抄』で述べている。

五　＊内府（藤原兼実）（1149—1207）忠通《ただみち》の三男。左右大将、東宮傅《とうぐうふ》、中宮大夫《ちゅうぐうのだいぶ》、太政大臣《だいじょうだいじん》を経て摂政《せっしょう》関白となった。建仁二年（1202）に出家。なお内府は内大臣の唐名で、兼実は長寛二年（1164）から仁安元年（1166）までこの職にあった。

五　＊新帝　第七十九代の天皇六条帝（1164—1176）をさす。二条帝が第二皇子の順仁親王《のぶひとしんのう》（後の六条帝）に位を譲ったのは永万元年（1165）のことで、この時順仁親王はわずか二歳であった。

五　＊蔵人所　天皇に近侍して詔勅の伝宣、進奏、儀式などを掌《つかさど》る役所。有能な人材の登竜門《とうりゅうもん》と言われた。

五　＊延暦寺、興福寺の争い　永万元年（1165）の二条帝の御葬送の夜、墓所に懸ける寺の額のことで両寺の間に紛争が起った。翌々日延暦寺の僧侶《そうりょ》が興福寺の末寺である清水寺を焼打ちにしたことから波瀾《はらん》は一層大きくなった。

五 ＊六波羅　南北は六条通から松原通まで、東西は東大路から大和大路までの区域。平家一門の居宅（六波羅殿）があった。

六 ＊御兄関白（藤原基実）（1143―1166）忠通の長子。梅津摂政、中殿、六条殿などと称《よ》ばれた。保元二年（1157）右大臣、同三年関白。

六 ＊法性寺（藤原忠通）（1097―1164）藤原忠実の長男。摂政関白・太政大臣となったが、応保《おうほう》二年（1162）に出家し、京都九条河原の法性寺に住んだ。詩歌に長じ、書法にも一家をなした。

七 ＊日録『玉葉』をさす。長寛二年（1164）から正治《しょうじ》二年（1200）に至る部分が現存している。源平・鎌倉初期の政局の有様が詳述されている。

七 ＊信範　平信範。平清盛の妻時子の叔父に当る。十歳で文章生《もんじょうしょう》として出仕した秀才で、生涯を公卿官人としてまっとうした。保元の乱に際しては、自己の見聞を『兵範記《へいはんき》』と題する日記に詳しく書き遺《のこ》している。

八 ＊家司　平安中期以降、親王・摂関・大臣・三位以上の家の家務を掌った職員。

一三 ＊待賢門院　（1101―1145）鳥羽天皇の皇后藤原璋子《しょうし》。崇徳・後白河両天皇の御母。天治元年（1124）に女院の称を贈られた。

一三 ＊ところが……伝えられております　この挿話は『古事談』（源顕兼《あきかね》編の説話集、六巻）にみえる。また、藤原忠実（一六ページ注）はその日記『殿暦《でんれき》』の中で、待賢門院が備後守季通《すえみち》と密通したという噂《うわさ》を記し、「奇怪不可思議ノ女御カ」と評している。

一三　＊美福門院（1117―1160）鳥羽天皇の皇后藤原得子《とくこ》。近衛天皇の御母。保延《ほうえん》五年（1139）に女御となり、久安五年（1149）に女院の称を授けられた。

一四　＊五位蔵人　蔵人所（五ページ注）の職員には頭《とう》、五位蔵人、六位蔵人、出納、雑《ぞう》色《しき》等があり、左右大臣が総裁を兼ねこれを別当と言った。

一五　＊詩歌の道にも長じておられました　『新古今和歌集』には彼の歌が四首採録されている。また日記『法性寺関白記』がある。

一六　＊忠実（1078―1162）関白内大臣藤原師道《もろみち》の長男。父が早世したため祖父の師《もろ》実《ざね》に養われた。長治二年（1105）関白となったが保安《ほうあん》二年（1121）に長男の忠通に位を譲り、保延六年（1140）に出家。宇治殿とも富家《ふけ》殿とも呼ばれた。

一六　＊頼長（1120―1156）藤原忠実の二男。左大臣。父の庇護《ひご》を得て兄忠通と対立、氏の長者となった。しかし鳥羽上皇の信を失い、崇徳上皇によって勢力を挽回《ばんかい》しようと所謂《いわゆる》保元の乱を起したが流矢に当って死んだ。宇治左大臣とも、悪左府（左府は左大臣の唐名）とも呼ばれる。

二五　＊日録　『台記《たいき》』を指す。宮中の儀式や保元の乱の原因などについて、頼長十七歳の時から保元の乱の前半までの二十年間を詳しく記している。十二巻。

二六　＊今様の歌　平安時代に新しく流行した七五調四句の歌謡で、神楽歌《かぐらうた》、催馬楽《さいばら》に対するもの。

二一六　＊田楽　豊作を祈る祭りに由来する神事芸能で、平安時代末から盛んとなった。

二一六　＊猿楽　宮中の官人が神楽などの余興に演じた、滑稽《こっけい》な物真似《ものまね》や言葉芸。一般にも寺社の祭りなどに興行された。

二一六　＊大嘗会　天皇が即位してのち、初めて行う新嘗祭《にいなめさい》。その年の新穀をもって自ら天照大神および天神・地祇《ちぎ》を祀《まつ》る大礼。即位が七月以前の場合はその年の、以後の場合には翌年の十一月の中の卯《う》の日に行われる。

二一八　＊藤原信西　（?—1159）藤原実兼の子通憲《みちのり》。高階長門守《たかしなながとのかみ》の養子となったが、のち復姓し、天養元年（1144）に少納言に任ぜられて間もなく出家、はじめ円空と号し、ついで信西と改めた。大変な学才の持主であったが、家格が低いために少納言にしかなれず、頼長と世を嘆いたと『台記』（二一五ページ注「日録」参照）に記されている。

二一八　＊検非違使惟方　惟方は民部卿藤原顕頼《あきより》の二男。保元三年（1158）参議に昇任、平治元年検非違使別当（長官）を兼任した。後、平治の乱に坐して長門国に流されたが、永万元年（1165）に帰京した。検非違使は、宮中および都内の非法を検察し、秩序の維持を掌った役職。

二一八　＊大納言経宗　藤原経実の四男。保元三年（1158）に権《ごん》大納言に任ぜられ、仁安元年（1166）に左大臣に進んだ。

二八　＊中納言家成　白河天皇の近臣藤原長実の弟、家保の三男。子の隆季《たかすえ》、成親《なりちか》と共に後白河帝の寵臣《ちょうしん》であった。久寿三年（1156）に四十八歳で没した時、世間の人は彼を天下無双の幸いの人だったと評したという。中納言になったのは近衛天皇の久安五年（1149）である。

二九　＊外弁　宮中の儀式の時、承明門の内で儀式を掌る上席の公卿を内弁と言うのに対し、門外で諸事に従った公卿を外弁と言う。

＊承明門　紫宸殿《ししんでん》の外門を建礼門と言い、内門を承明門と言う。

三一　＊三滝聖人　『兵範記』には「三滝聖人」、『保元物語』には「御滝の観空上人」と記されているが、伝記は審《つまび》らかにされていない。美福門院が剃髪《ていはつ》した時も、戒を授ける式の導師の役を勤めている。

三一　＊鳥羽安楽寿院御所　鳥羽離宮の東殿の一画に保延三年（1137）に完成した御殿。その翌々年に出来上がった東殿三重塔に法皇みずから骨を納めることとし、おおむねはここに住んでいた。

三三　＊真言　陀羅尼《だらに》あるいは呪《じゅ》ともいい、梵語《ぼんご》の長句。翻訳しないでそのまま読み上げられるが、真言宗ではこれを唱えながら指で印を結ぶと、それぞれの仏菩薩《ぶつぼさつ》の境界に入ることが出来ると言われている。

三三　＊北面の者　「北面の武士」のことで、白河法皇の時に始まり、院の御所の警護を役目とする。院の御所の北面《きたおもて》に詰所があったのでこの名が生れた。

二四 ＊田中殿　鳥羽法皇は、賀茂川から水を引いて作った池を中心に、南に南殿、北に北殿、東に安楽寿院（三一ページ注）を配した壮大な鳥羽離宮を作り上げた。田中殿は、北殿の中にあり、今の京都市伏見区田中殿町の辺りと言われる。

二四 ＊上皇は……承っております　第一部の語り手平信範の『兵範記』（七ページ注）には六月三日と七月二日に同様な記事が見える。

二五 ＊蔵人大輔雅頼　源雅兼中納言の三男。のちに権中納言となる。彼は当時の政局の推移を日記に記していて、それが『愚管抄』や『保元物語』の材料になったとも言われている。

二五 ＊左衛門尉平基盛　左衛門は右衛門と共に衛門府《えもんふ》を形成し、内裏の諸門の警備や礼儀のことに当った。尉は三等官。平基盛は清盛の二男。この時は、大和方面から宇治へ入る道を守った。

二五 ＊右衛門尉平惟繁　惟茂《これもち》の曾孫《そうそん》、繁賢《しげかた》（隠岐守《おきのかみ》）の子。この時は、山崎（京都府乙《おと》訓《くに》郡）を守った。

二五 ＊源義康　義国の子で、足利氏の祖。足利陸奥《むつ》判官と号していた。

二六 ＊按察使　奈良時代に国司の治績や諸国の民情を巡察した官を言うが、後には大・中納言の兼ねる名義だけの官となった。

二七 ＊東三条殿　東三条の御殿。代々藤原氏の長者の所領で、忠実ははじめ長男の忠通に与えたが後に取り戻して次男の頼長に与えた。

三七　*白川前斎院御所　斎院は京都の賀茂神社に奉仕する皇女を言う。前斎院は鳥羽天皇の皇女であろうと言われている。従って白川前斎院御所は、鳥羽天皇の皇女が住んでいた白川の御殿を指す。

三七　*散位　位はあるが官職のない者の称。

三七　*大炊助　諸国の稲田や公私の食料についての官庁である大炊寮の二等官。

三七　*頼政　(1104—1180) 初めて昇殿を許されたのは五十五歳の時、保元三年 (1158) であった。

三七　*胡籙　矢を入れて背負う道具。低く平たい平胡籙と、筒状の壺《つぼ》胡籙とがある。

三九　*高松殿　姉小路の北、西洞院《にしのとういん》の東にあった当時の仮の皇居。

四〇　*般若野五三昧　般若野は奈良市の北部奈良坂の南にあった野原。五三昧は五三昧所の略で、近畿の五カ所の火葬場のこと。般若野はその一であった。

四一　*嵯峨天皇の時から……でございます　死刑は所謂薬子《くすこ》の乱の弘仁《こうにん》元年 (810) 以来行われていなかった。

四三　*左馬頭　宮中の馬や諸国の牧場を掌る馬寮の一である左馬寮の長官。

四六　*記録所　初め後三条天皇が荘園整理のために設けたが、後白河天皇が復興してからは、朝廷の訴訟の処理や一般の政務を行うところとなった。

四八　*尊勝陀羅尼　仏頂尊勝陀羅尼。効験《こうげん》の高い陀羅尼 (三三ページ注「真言」参照) として当時よく読誦《どくじゅ》された。

四八　＊御懺法　法華経を読誦して罪障を懺悔《ざんげ》する法会《ほうえ》。

四八　＊相撲節会　天皇が宮中で相撲をご覧になり、群臣に宴を賜う儀式。

五二　＊諸司八省　多くの役所。八省は中務《なかつかさ》・式部・治部・民部・兵部・刑部《ぎょうぶ》・大蔵・宮内の各省。

五二　＊仁王会　護国安穏《あんのん》を祈願するために、または天変地異などの際に宮中で行われた仁王経を講ずる勅会。仁王経は古くから尊重された護国の経典。

五二　＊左兵衛陣　宣陽門（内裏の東面の正中門）のこと。

五三　＊檳榔車　檳榔の葉を糸のように細く割いて車の箱屋根を葺《ふ》き、左右の側にもつけた車。皇族、公卿などが用いた。

六〇　＊右近衛大将　皇居の中心部の警備に当った右近衛府（六衛府《りくえふ》の一）の長官。

六二　＊別当　長官のこと。もともとは本官のある者が臨時に別の職に当るところから起った。

六七　＊女院（建春門院）（1142—1176）平時信の女《むすめ》、滋子《しげこ》。後白河天皇の女御、高倉天皇の御母。

七〇　＊時忠卿（1127—1186）平清盛の妻の兄。「平家の一門にあらざれば人にあらず」という彼の言葉は有名。

七二　＊台盤所　殿上を許された女房達の詰所で清涼殿の中にある。

七二　＊禁色　勅許なしに使うことを禁じられていた服の色。くちなし、きあか、赤、青、深紫《こき》、深緋《こきひ》、深蘇芳《こきすおう》の七色。

七三　＊俊成（1114―1204）藤原俊忠《としただ》の子、定家の父。『千載集』の撰者。当時の歌壇の最高指導者で、『新古今集』以下の勅撰集に四百余首がおさめられている。

七四　＊貝おおい、石どり、乱碁　貝おおいは貝合せともいい、三百六十の蛤《はまぐり》を左右に分けて合わせあい、合った数で勝負を決める遊び。石どりは地上に撒《ま》いた石のうち一つを空に投げ、それが落ちてこないうちに他の石を拾って、一緒に手に受ける遊び。乱碁は碁石を弾《はじ》いたり押したりして拾い、その多少を争う遊び。いずれも女子の遊戯。

七五　＊双六　二人対坐《たいざ》して木製の盤上に黒石の駒石を並べ、二個の賽《さい》を交互に振ってその目だけ駒を進め、早く敵陣に辿《たど》り着いた方を勝ちとする遊び。

七六　＊五節の舞姫　五節は新嘗祭・大嘗祭に朝廷で催された少女の舞。舞姫は、三人は公卿の家、二人は国司の家から出ることになっていた。

七八　＊八条の二位殿（?―1185）平時信の長女、時子。平家が壇の浦で大敗した時、安徳天皇を抱いて、「今ぞしる御裳濯河《みもすそがわ》の流れには浪《なみ》の下にも都ありとは」と辞世を詠じて入水《じゅすい》した。

八一　＊福原　平家の荘園があった福原（今の神戸市兵庫区）には、清盛が別荘を営んでいた。

八一　＊息女の何人かを摂関家へ嫁がせられ　清盛の娘は九人あり、うち五人は、左大臣藤原兼雅、摂政関白藤原基実、藤原基通、冷泉大納言隆房、七条修理大夫信隆にそれぞれ嫁した。

八二 ＊蓮華王院　三十三間堂の正称。後白河天皇の勅願寺。

八三 ＊上西門院　（1126―1189）鳥羽天皇の皇女、二条天皇の准母《じゅんぼ》。

八三 ＊法金剛院　今の右京区花園にある双丘寺または天安寺と呼ばれる寺で、鳥羽天皇の時待賢門院が再興。

八四 ＊いだしぐるま　女房などが「いだしぎぬ」（衣の裾《すそ》を簾《すだれ》の下から出して装飾にしたこと）をして乗った牛車《ぎっしゃ》。

八六 ＊最勝光院　嘉禄《かろく》二年（1226）に炎上したが、現在の南禅寺の中にあったという。

八七 ＊「をりてかざさん菊のはな」「露ながら折りてかざさん菊の花おいせぬ秋の久しかるべく」（紀友則《きのとものり》）

八七 ＊「長生殿のうちには春秋富めり、不老門の前には日月遅し」『和漢朗詠集』にある慶滋保胤《よししげのやすたね》の句。唐の天子の寝殿である長生殿のうちでは齢《とし》も若く前途が豊かであり、漢の宮門である不老門の中では月日の歩みも遅い。不老長生の縁起の良い句とされ、後に謡曲で盛んに用いられるようになった。

九〇 ＊経房　（1142―1200）治承三年（1179）蔵人頭に補され、建久九年（1198）権大納言に進んだが、正治二年（1200）出家して経蓮と号した。日録『吉記《きっき》』がある。

九〇　＊院が昔から今様をお集めになっておられる　今日『梁塵秘抄《りようじんひしよう》』として伝わっている。

九二　＊屯食　強飯《こわめし》を握り固めて卵形にしたもので、禁中又は貴人の饗宴《きようえん》の際に主に下臈《げろう》などに賜わった。

九三　＊落蹲入綾　落蹲（又は落蹲）は舞楽の曲名。入綾は舞いながら楽屋に退いて行くこと。

九四　＊宿直装束　正式の束帯ではなく、衣冠直衣《のうし》などやや略式の装束。

九四　＊老懸　武官の冠の左右につける飾り。馬の尾を使い一端を編んで扇形に開いたもの。

九四　＊征矢　実戦用の矢。

九五　＊竜頭鷁首の船　二隻《せき》一対《つい》となっており、一隻は舳《へ》に竜《りゆう》の頭、もう一隻は鷁《げき》の首が彫刻してある。

九五　＊青海波　舞楽の一。最も華麗で優雅な曲とされる。

九九　＊前大相国忠雅卿　忠雅は藤原師実《もろざね》の孫忠宗の二男。仁安二年（1167）四十四歳で大納言から内大臣となり、翌年太政大臣となったが翌々年これを辞した。大相国は太政大臣の唐名。

一〇一　＊この事件　所謂鹿《しし》ヶ谷《たに》の陰謀。

一〇二　＊重盛卿の取りなし　成親の女《むすめ》が維盛の妻であったため、重盛が清盛に成親の助命

一〇三　を嘆願したこと。
一〇三　＊院が鳥羽殿にお囚われになる事件　治承三年（1179）十一月二十日のこと。清盛のこのクーデターで後白河院の院政は一時中断することになる。
一〇六　＊『礼記』　五経の一。周末から秦《しん》・漢時代の儒者の古礼に関する説を集めてある。
一〇六　＊左大弁　八省のうち、中務・式部・治部・民部の四省を管轄《かんかつ》する。
一〇六　＊以仁王の変　後白河天皇の第二皇子以仁王（1151—1180）が、治承四年（1180）に源頼政と謀《はか》り、諸国の源氏を誘って平氏討伐を企てた事件。和漢の才に秀《ひい》でていた以仁王が不遇であったのは建春門院のそねみによると言われ、また、平氏の支持を得ようとした明雲座主《ざす》によって城興寺に対する以仁王の権利が奪われたために平氏に一層反感を持つようになったとも言われている。
一〇七　＊頼朝追討の院宣を……降される　頼朝追討の院宣を降したのは、後白河院の院政再開の一月十七日から一カ月程後の二月十五日、平氏追討の院宣を降したのは翌々年の七月二十八日。
一〇八　＊除目　大臣以外の中央官の任命（秋の司召《つかさめし》）と地方官の任命（春の県召《あがためし》）の儀式のこと。この他に臨時に除目が行われたことは言うまでもない。
一〇八　＊参議　大・中納言に次ぐ重職で太政官に置かれ、朝議に参与した。
一〇九　＊宣旨院宣　宣旨は詔勅より簡単な手続きで天皇の命令を述べ伝える公文書。院宣は上皇または法皇の宣旨。

一二五　＊小松内府　清盛の長子平重盛のこと。邸《やしき》が今の京都市東山区小松谷にあったことによる。

一二七　＊和歌集　『千載和歌集』を指す。寿永二年（1183）二月に編纂《へんさん》の勅命が出て、完成したのは文治三年（1187）であった。

一三一　＊奉幣使　勅名によって幣帛《へいはく》を神社・神宮などに奉献する使い。

一三六　＊五部大乗経　大乗の教えを説いた五部の経文。華厳経《けごんきょう》、大集経《だいじっきょう》、般若経《はんにゃきょう》、法華経《ほけきょう》、涅槃経《ねはんきょう》。

一三六　＊元性法師（1140—1162）崇徳院の長子重仁親王《しげひとしんのう》。出家して仁和寺の一院である花蔵院に住した。位は僧の第一等である法印。

一三七　＊頭弁　蔵人所（五ページ注）の長官である蔵人頭は定員が二名で、一人は弁官から、一人は近衛府の官人から補せられた。前者を頭弁といい、大・中の弁官を兼ねることが多かった。

一四一　＊主典代　院宣や院の記録を掌る書記官。主典の代理役の意。

一四一　＊摂政基通卿（1160—1233）近衛基実の嫡子。清盛の娘盛子が養母であった。

一六二　＊請文　身分の上の者からの命令・要求に対して、了解した旨《むね》を答申する文書。

一六三　＊見るに心の澄むものは……式部の老の果　一六四ページ、一七七ページの歌と共に『梁塵秘抄』に載っている。

一七八　＊日録　『玉葉』（七ページ注）のこと。

一一八三　*弟慈円も亦天台座主の地位を離れ　慈円（1155―1225）は兼実の擁護により建久三年（1192）に天台座主となり、建久七年十一月二十五日の政変でこれを辞任したが、建仁元年（1201）に還補《げんぽ》された。

一一八四　*大姫　頼朝には大姫、乙姫の二人の娘があった。大姫は幼にして義仲の子の志水判官義高に嫁したが間もなく寡婦となった。生没年未詳。

一一八五　*春宮　皇太子。

一一九〇　*八逆　律で国家・社会の秩序を乱すものとして特に重く罰せられた罪。謀反《むへん》、謀《ぼう》大逆《たいぎゃく》、謀叛《むほん》、悪逆、不道、大不敬、不孝、不義の総称。

一二〇六　*御所領処分　後白河法皇は、父鳥羽法皇と美福門院の遺領、頼朝より寄進された土地など広大な領地を持っていたが、その大部分を後鳥羽天皇が受け継ぎ、残りを式子《しきし》内親王《ないしんのう》等が譲与された。

郡《ぐん》司《じ》勝《かつ》義《よし》

解説

磯田光一

歴史の発展を社会科学的にとらえる見方がどれほど行われていても、歴史を動かしていくのが人間であるという事実に変りはない。しかも歴史の転換期にあっては、権力の指導層にある人々の動きが、決定的な力を担《にな》ってしまうことは避けがたい。そして転換期の歴史の裏側には、すさまじい人間のエゴイズムや権謀術数があり、敵と味方との関係が一夜にして変ってしまうことさえ稀《まれ》ではない。にもかかわらず、勝者の心にも敗者の心にも孤独がつきまとっている。

井上靖氏のこの小説は、平安朝の末期から鎌倉幕府の成立期までの時代を、院政の担当者・後白河院を中心に据えて、四人の語り手によって構成したものである。その四人とは、第一部が平信範《のぶのり》、第二部が建春門院中納言《ちゆうなごん》、第三部が吉田経房《つねふさ》、第四部が九条兼実《かねざね》にあたる。これらの人々が、いずれも後白河院の周辺にいた人々であることを考えれば、この小説はひとまず平安時代末期の院政の裏面史といえるであろう。

この小説の基礎になっている史実をいえば、後白河院（一一二七—九二年）が天皇として政治の中枢《ちゅうすう》に進出してきた時には、皇位継承に関して朝廷内部と藤原氏の内部とに深刻な抗争があった。一一五六年に鳥羽《とば》法皇が没すると崇徳《すとく》上皇は藤原頼長《よりなが》、源為義《ためよし》、平忠正《ただまさ》らとともに挙兵した。これにたいして後白河院（当時は天皇）は藤原忠通《ただみち》、源義朝《よしとも》、平清盛らとともに対抗して相手を破った。これが保元《ほうげん》の乱（本書37～42ページに該当）である。次に藤原信頼《のぶより》と源義朝とが平清盛の熊野参詣《さんけい》中に反乱を起して鎮定されたのが平治《へいじ》の乱（本書64～66ページに該当）である。

しかしこういう史実との対応を述べただけでは、この小説について何事を語ったことにもならない。武士の台頭ということ一つをとってみても、朝廷や公家《くげ》からみれば、武士は自分たちを守ってくれる勢力であると同時に、その強大な武力のゆえにつねに警戒して扱わなければならない存在である。こういう場合、味方につけておけば安心だとはいえないのであって、清盛にみられるように、忠誠と勲功による地位の上昇は、やがて政治権力の中枢《ちゅうすう》をおびやかさずにはいないのである。

合戦騒ぎが終って、私共に一番はっきりと感じられましたことは、長い間陰気にくすぶっていた皇室や公卿《くぎょう》の対立が、合戦というもので、あっという間に片付いてしまったということでございます。極く僅《わず》かな時間で、そうした陰気などろどろした厭《いや》なものが跡形もなく消え去ってしまい、片方が勝利を占め、片方が殺されたり、流されたり、幽閉されたりして、信じられないようなすばやさで一切のけりがついてしまったということでございました。

これだけの能力をそなえた武士の台頭に、皇室や公家が関心をもたずにいられるであろうか。第二部にも描かれているように、平清盛（入道相国《しょうこく》）は次第に政治的な実権を手中に収めていく。こういう状態にあるときに、反清盛の勢力が手を結んで清盛を倒す謀略を企図したのが、鹿《しし》ヶ谷《たに》事件であった。この謀略には後白河院も参加していたと推定されている。これらの事件は、整然とした形ではこの小説にはあらわれてこない。語り手がそれぞれ自分の体験で確かめることのできる部分が、回想の形で出てくるだけである。そしてこれらの事件の推移のうしろに、つねに無気味な力としてひかえているのが後白河院その人である。

四つの〝語り〞が具象的な事実の積みあげで成り立っているのは、小説の構成法からいってもきわめて効果的であると思われる。それはたんに事実の流れのうちに後白河院のイメージを浮かびあがらせているからではない。四つの〝語り〞は四枚の鏡のような役割を果たしていて、鏡にうつった四種の像の組み合せが、徐々に後白河院のイメージを読者の心に刻んでくれるのである。

こうして像を結んでくる後白河院の人間像には、作者の人間にたいする深い洞察《どうさつ》が働いている。単純な情熱家や野心家が、したたかな政治家であったためしはない。口数が少なく、忠誠や信頼を示すものには奇妙に優しく、それでいて何を考えているのかわからぬような後白河院のイメージは、まさしく一つの謎《なぞ》であって、その冷静なしたたかさにはつねに一点の薄気味わるさがつきまとっている。あえていうならば、それは〝冷静の魔〟とでも呼ぶべきであろうか。武家の興隆期に際して、力を持った者とはあえて真正面から敵対することを避け、対立勢力を巧《たく》みに操りながら力の牽制《けんせい》をはかり、善良な野心家たちが身を滅ぼしていくのを平然と見まもっている後白河院の姿は、語り手を通じて暗示されているだけに、いっそう深い謎として読者に迫ってくるのである。清盛の死によってさえさほど心を動かされず、安心するどころか逆に源氏の動静を鋭敏に見据える後白河院は、おそらく周囲の人々にとっても、理解をこえたものであったろう。

しかし時代は動きつつあった。平家の西走、源義仲《よしなか》の台頭、それに頼朝もまた動かしがたい力をもちつつあった。それらの動静はたんに情報として描かれているのではない。情報を読み誤ればいかなる危機が訪れるかわからないという緊張が、情報そのものに無気味なリアリティーを与えてしまう。そして危機の現実は、京都滞在中の義仲の兵にたいする朝廷や庶民の反応にみられるように、恐怖をともなった不安として迫っている。

こうした現実のうちにあって、義仲、頼朝、義経の三者と接触をもった後白河院を、無節操として批判することもできようし、政治的な陰謀家とみることもできるであろう。しかし作者はそういうモラリストの価値観を極力しりぞけて、非情な現実を非情な眼で直視しているようである。そして読者は、第四部まで読み進むとき、第三部までの記述にいっそう深みがつけ加えられるのに気づくであろう。頼朝の権力を現実的には容認せざるをえなくなった後白河院は、にもかかわらず頼朝を征夷《せいい》大将軍に任ずることだけは拒否し、建久三年（一一九二年）三月十三日に死ぬのである。ついでにいえば、第四部の時点は、後白河院の死後六年目、後鳥羽《ごとば》天皇の退位の日である。

併《しか》し、今宵《こよい》、余は日本国第一の大天狗《おおてんぐ》こと亡《な》き後白河院に対し奉って、当時とは違った気持を持っている。院のただ一つしかお示しにならなかったお顔を眼に浮かべているると、院というお方がまるで違ったお方として見えて来る思いである。

どうして今までこのようなことが判《わか》らなかったのであろうか。院はもともと誰をもお恃《たの》みにはなってはいらっしゃらなかったのである。頼朝卿に追討の院宣《いんぜん》を降《くだ》された時でもおひとりで考えてなされたが、おひとりで考えてなさる以外仕方なかったのである。あの場合何びとが院のお立場に立って差し上げることができたであろう。古代から伝えられて来た政《まつりごと》をしろしめすお立場は院おひとりだけのものであり、それはご自分おひとりでしかお守りになれないものであったのである。

こうして開示されてくる後白河院の本質を、われわれはさまざまな視点から解釈することができるであろう。もし〝政治的人間〟の能力として考えるなら、新興勢力としての武家の対立を利用しながら、勢力均衡を通じて新時代への転回軸の役をつとめたとみることもできないわけではない。また朝廷・公家の危機を感じたからこそ、新興勢力を牽制するために、あえて冷徹な権謀術数をおこなったとみることもできよう。

しかし作者の透徹した眼光は、さらに深いところに届いているように思われる。それは後白河院という人間の、役割りと気質とをつなぐ孤独の領域といったらいいであろうか。だれにも信用を置かず、政治権力の興亡盛衰を冷然とみながら、諸勢力の破滅になかば残忍な喜悦を感じているような後白河院は、ある意味では人間の心に宿る破壊への悪魔的衝動の具象化という面をもっていないわけではない。にもかかわらず、〝冷たい焔《ほのお》〟とでも呼びたい情熱をもっていた彼は、頼朝にだけは勝ちたいと思って、無念の想《おも》いをいだいていたのである。

権謀術数の裏側には、つねに無常の風が吹きぬけている。信西《しんぜい》入道の自刃《じじん》にしても、それほど単純なものであったわけではない。後白河院の乳母《めのと》の夫であった彼は、ある意味では肉親に近い存在であった。それだけに後白河院の信頼を失ったのは耐えがたいことであったかもしれない。いや、すでに保元の乱ひとつをとってみても、崇徳上皇の側についた源為義は、後白河院側の義朝の父である。さらに、義朝の子が頼朝で、その弟が義経、従弟が義仲であることを思えば、この時代の権力抗争がどのようなものであったかが察知されよう。作者は後白河院という無気味な人物を軸として、これらの諸勢力の浮沈を非情な眼で見つめているが、同時にこの作品を、滅んでいった人間へのネガティヴな鎮魂歌にも化しているように思われる。

四人の語り手の文体や語法にも差違があり、一人称代名詞が第一部は「私」、第二部が「わたくし」、第三・第四部が「余」であることを考えても、作者がこの作品の芸術的な完成に、どれほど細心の配慮をほどこしているかは明らかであろう。歴史小説の一つの達成の姿がここにはある。

(昭和五十年六月、文芸評論家)

帝への畏怖

縄田一男

後白河院——この多様にして捉《とら》えがたい帝《みかど》をどのようにいい表わせばよいものであろうか。

武家の台頭する中で、一貫して王朝の安泰を図るべく策を用い、対立する武門の棟《とう》梁《りょう》を巧みに操って自滅させ、その政治力は、源頼朝をして「日本第一の大天狗《てんぐ》」といわしめた、という。さらに、催馬楽《さいばら》、朗詠、声明《しょうみょう》等の大衆芸能を好み、今様には特に熱中。その成果たる『梁塵秘抄《りょうじんひしょう》』には、中世民衆の風俗を活写する五百六十首以上の今様が収録されている。

そして、最近の歴史小説の中にその姿を求めれば、今年の五月に亡《な》くなった池宮彰一郎が平成十四～十五年に刊行した大作『平家』の中で、後白河院が、一つの名場面を演じているさまを見ることが出来る。この作品は、これまで諸行無常の文学とされていた古典『平家物語』を、高度な政治小説に組み替えたもので、作中、後白河院は、平清盛の最大の政敵にして最大の理解者という二重性を帯びている。そして、下巻以降の展開こそ最大の見どころ——もはや、清盛の生命が目睫《もくしょう》の間《かん》に迫ったことを知った院が人前で嗚咽《おえつ》を洩《も》らす場面の秀逸さはどうであろうか。そこには、院も武家の棟梁もない、立場こそ違え、一代の英傑の志の行方というものを、一個の男児が嘆じる名場面があるばかりである。

たとえば、『後白河上皇』（吉川弘文館）の著者、安田元久は、そのはしがきで「後白河上皇の如き政治史上の重要人物の歴史は、ややもすれば同時代の政治史そのものとなる傾向が強く、そこには人物個人の性情や思想の変遷を追うという面が欠如することを恐れなければならなかった」し、「やはり政治権力者としての足跡を追求することが主となり、いわゆる人物評伝に及ぶことが少ないという欠陥を残さざるを得なかった」と記している。

成程、後白河院を日本史上における希《まれ》に見る〝政治的人間〟と規定してしまえば、保元《ほうげん》・平治の乱から、源平の争乱を経て、院が亡くなるまでの事件の推移を捉えるのは、比較的容易になるかもしれない。しかしながら、それが、歴史家の仕事であるならば、小説家の仕事は、そこからこぼれ落ちる部分、すなわち、前述の〝人物個人の性情や思想の変遷〟を捉えることとなろう。

では、後白河院をそうしたかたちで捉えた作品があるのか、と問われれば、ある。それが本書『後白河院』である。新潮社版『井上靖全集』第十六巻の巻末に付された曾根《そね》博義の解題によれば、この長篇は、昭和三十九年十月の「展望」復刊号、及び、十一月号に第一部を、四十年四月号に第二部を、そして五月号及び六月号に第三部の途中までを、十一月号に第三部の続きと第四部をまとめて発表。かなりの難産であったらしく、単行本にまとめられたのは、連載七年後の昭和四十七年六月、筑摩《ちくま》書房の刊行であった。

この作品の特色は、いわずもがなのことながら、後白河院を直接描くのではなく、第二部の最後近く、語り手が「この御簾の内と外で、お二方（後白河院と平清盛）の間にどのようなお言葉が交されたか知る由《よし》もございませんが、お二方とも、あるいは義兄成親のように心の中では、お互いに、時期が来るまで、と、そのようなことをお思いになっていらしたかも知れないという気がいたします」というように、正しく御簾の外から、そしてこの引用の続きに「根も葉もないわたくしひとりの当て推量ではございますが」と記されているように、史実の背後にある後白河院の〝性情〟を、イマジネーションを働かせて迫ることにあろう。

従って、保元・平治の乱をはじめとして後白河院を中心に次々に起きた事件をここで説明していっても、この小説を読んだことにはならない。まずもって、私たちが心しなくてはならないのは、後白河院を描くに当たって、同時代の証言者たる四人――平信範、建春門院中納言《ちゅうなごん》、吉田経房《つねふさ》、九条兼実《かねざね》を通して浮き彫りにする、という極めて知的な計算についてである。特にラストを九条兼実で締めくくったのは秀逸であり、その理由については後に記す。これら四人の証言によって、後白河院のことがストレートに判《わか》るかというと、先に〝御簾の外から〟と記したようにそうではない。院の〝性情〟といったものは、院に対する人物の反応によって照射されることになるのだ。

たとえば、「何事につけ傍若無人」「世は信西入道一人の方寸で動いて」いるとしか思われず、いかなる武人とて「歯が立たない」信西入道こと藤原通憲《みちのり》が、何故《なぜ》、その身辺に「何かひとに命令を与え、その答申でも待っているような、妙に落着きのないもの」があり、「眼を上げると、鋭い眼光がきらりとこちらを射」るも、「大抵の場合は顔を上げないで、俯向《うつむ》いたまま通り過ぎ」、結局は「自分の首を斬るために働いた」のか。

或《ある》いは、「何事も御自分から身を引くおひと柄で、御堂をお造りになったり、そうしたことにお悦びをお持ちになったり、果ては御寿命とは申せ、早くお亡くなりになるようなことになったりしたことは、私には女院が何となくご自分でお図りになったことではないか、そんな気がしてならないのでございます」という建春門院が、なぜ院の人となりを誰よりも知ることとなったのか等々——。

これらの記述を通して私たちが感じるのは、或いは、後白河院を「政治的人間」以上に見る、ある種の畏怖《いふ》ではないのか。

そして、『吉記《きつき》』を著した第三の語り手、吉田経房は、第一、第二の語り手以上のインパクトを読者に与えることになるだろう。経房の言は、徹底した後白河院の肯定である。

いわく、「院の御心というものは、院にお近付き申し上げることを避けるような輩に判ろう筈《はず》のものではない。余に言わせれば、院のご英邁《えいまい》な措置に依ってこそ、朝廷のご威信は兎も角今日あるを得ているのである」。

いわく、「院の御心がどのようなものであるかを知り、院に対するご奉公の心を固める一事あるのみである。世は文を以て治めねばならぬ。武断の政はどのようなことがあっても排さねばならぬ。はっきり申すと、院はそのようなことをなさるために、お生まれ遊ばされてきた方と申し上げていいかと思う」。

さらに、平氏や源氏を引き上げたのは、そうせざるを得ない時の勢というものがあり、その勢が衰えを見せるまで待っただけで、「未《いま》だ曾て一度も、入道相国の面《おもて》を窺《うかが》って、ご自分の態度をお決めになったことはない。院ご自身が強くお出になったり、反対に優しくお出になったりするのであって、それに対して、その時々で自分の構えを変えるのは入道相国の方であった（以下略）」

そして、後白河院の抱く王者の孤独は誰にも判らないであろうという。

ここで示された吉田経房の考えは、第四の語り手、九条兼実によって補強されたり、また、さらに院の〝性情〟深く分け入っていくことになるが、先にラストに兼実を持って来たのは秀逸である、と述べた、その理由を記しておきたいと思う。

さて、本書『後白河院』が書き継がれていた昭和四十年二月、一般向けの画期的な歴史書の刊行が開始された。中央公論社の創業八十周年を記念して出版された『日本の歴史』全二十六巻である。現在、中公文庫に収録されているこの全集は、当時、各巻平均五十万部を売るベストセラーとなり、日本史ブームを巻き起こし、刊行四十年を経た今日でも、最も定評ある日本通史として親しまれている。この通史の中で、本書の内容に重なるのは、『日本の歴史6武士の登場』（竹内理三）と『日本の歴史7鎌倉幕府』（石井進）の二冊である。九条兼実は、右大臣の要職にあった時、後白河院に対する内部批判を行い、院が頼朝追討宣旨《せんじ》を出そうとした時、これに反対したことで知られた人物だ。『後白河院』の第四部は、この九条兼実の日録『玉葉』に依《よ》っている。

石井進は、昭和三十五年に発表された石母田正《いしもだしよう》の説を引き、これまではもっぱら『吾《あ》妻鏡《ずまかがみ》』の記述が重要視されて来たが、実は、その『吾妻鏡』が『玉葉』をもとに作られた、と解釈せざるを得ない部分があると記している。従って、九条兼実と『玉葉』を用いて本書を締めくくるのは、まことに時宜に叶《かな》った小説作法というべきであろう。

しかし、さらに面白いのは、作者が、『玉葉』を綴《つづ》る九条兼実に、ある種の文学的なひねりを加えている点ではないのか。兼実が語るのは、客観的視座に立つものとして認識される史書に対する疑義、もしくは、それを書き続けることについての諦観である。そしてさらにいえば、その諦観は、人間は変わってゆく、だが、その人間の行う愚行は変わらない、というものであり、そして遂に「若しもこの世に変らない人があるとすれば、それは後白河院であらせられるかも知れない。左様、後白河院だけは六十六年の生涯、ただ一度もお変りにならなかったと申し上げてよさそうである。後白河院だけはお変りにならなかった。院だけは確かにお変りにならなかったのである」と嘆息するのである。この箇所は、第一部の「結局は信西入道は後白河帝のお人となりについて、ついに存じ上げなかった」というくだりや、先に引用した、態度を変えたのは、院ではなく入道相国の方である、とするくだりとも呼応していよう。

そしてさらに九条兼実は、決定的なことをいう。すなわち、「あの場合何びとが院のお立場に立って差し上げることができたであろう。古代から伝えられて来た政をしろしめすお立場は院おひとりだけのものであり、それはご自分おひとりでしかお守りになれないものであったのである」と。傍点の部分こそは、正しく、後白河院を〝政治的人間〟であると規定した時、割り切れない、こぼれ落ちる部分、すなわち、〝畏怖〟ではないのか。

そして変わらないといえば、やはり、『後白河院』が書き継がれていた昭和四十年六月、一つの事件が起きた。東京教育大学教授、家永三郎が、自分が書いた高等学校用教科書『新日本史』が不当な修正を要求されたために生じた損害に対し、百万円の賠償を求める民事訴訟を起こしたのである。問題となった脚注の部分がどのように変えられていったかを、『昭和 二万日の全記録⑬東京オリンピックと新幹線・昭和39年～42年』（講談社）から拾うと次のようになる。

「古事記」も「日本書紀」も「神代」の物語から始まっているが、「神代」の物語はもちろんのこと、神武天皇以後の最初の天皇数代の間の記事に至るまで、すべて皇室が日本を統一してのちに、皇室が日本を統治するいわれを正当化するために作り出した物語である。「古事記」「日本書紀」は、このような政治上の必要から作られた物語や、民間で語り伝えられた神話・伝説や、歴史の記録などから成り立っているので、そのまま全部を歴史とみることはできない。（傍点引用者）

↓

「古事記」や「日本書紀」の中には諸豪族や民衆の間で語り伝えられた神話・伝説なども織り込まれており、古代の思想・芸術などを今日に伝える史料として貴重なものである。

何という変わりようであろうか。何故、科学的な歴史の記述がここまで骨抜きにされねばならないのか。

天皇機関説から三十年、さらには敗戦、天皇の人間宣言を経て、昭和三十九年には、日本はOECDに参加、東海道新幹線が営業を開始し、廃墟《はいきょ》の焼け跡が嘘《うそ》であったかのように東京オリンピックを開催し、九条兼実のいうように「新しい時代は後白河院の御代《みよ》の終焉《しゅうえん》と共にやって来る筈《はず》であったのである」――だが、やはり、変わってはいなかったのか。

私たちは皇国史観から解放された新しい歴史を手に入れたのではなかったのか。しかし「古代から伝えられてきた政をしろしめすお立場」にあった帝への畏怖が、本書の執筆時である昭和四十年にも存続していたことを、家永事件は如実に証明したことにはならないか。これは歴史の偶然が図らずも歴史の真実をあぶり出した、ということなのであろうか。

今の私には、そう問うことしか出来ない。

（二〇〇七年六月　文芸評論家）

この作品は昭和四十七年六月筑摩書房より刊行された。

後《ご》白《しら》河《かわ》院《いん》

新潮文庫　い－7－20

昭和五十年九月三十日　発行
平成十九年八月一日　三十一刷改版
令和四年二月十五日　三十九刷

著者　井《いの》上《うえ》靖《やすし》
発行者　佐藤隆信
発行所　株式会社新潮社
郵便番号　一六二―八七一一
東京都新宿区矢来町七一
電話　編集部(〇三)三二六六―五四四〇
　　　読者係(〇三)三二六六―五一一一
http://www.shinchosha.co.jp

価格はカバーに表示してあります。

乱丁・落丁本は、ご面倒ですが小社読者係宛ご送付ください。送料小社負担にてお取替えいたします。

印刷・株式会社光邦　製本・株式会社植木製本所

ISBN978-4-10-106320-1 C0193